Les problèmes logiques et latéraux

Debbie Leadbetter

Brilliant
PUBLICATIONS

We hope you enjoy using this book. If you would like further information on other books or e-resources published by Brilliant Publications, please write to the address given below or look on our website: www.brilliantpublications.co.uk.

Other books published by Brilliant Publications for teaching French

Unforgettable French – Memory Tricks to Help You Learn and Remember French Grammar and Vocabulary	978-1-78317-093-7
Un or Une? Is this French noun masculine or feminine?	978-1-78317-204-7
Conjugate French Verbs in the Present Tense with Memory Tricks	978-1-78317-230-6
Mamie and Papi's Basic French Grammar:	
The Present Tense	978-0-85747-154-3
Nouns and Adjectives	978-0-85747-155-0
Negatives	978-0-85747-156-7
Questions	978-0-85747-158-1
The Passé Composé	978-0-85747-157-4

Published by Brilliant Publications Limited
Unit 10
Sparrow Hall Farm
Edlesborough
Dunstable
Bedfordshire
LU6 2ES, UK

Website: www.brilliantpublications.co.uk
Tel: 01525 222292

The name Brilliant Publications and the logo are registered trademarks.

Written by Debbie Leadbetter
Illustrated by Brilliant Publications Limited

Printed book ISBN: 978-1-78317-341-9
e-pdf ISBN: 978-1-78317-342-6

First printed and published in the UK in 2018

The right of Debbie Leadbetter to be identified as author of this work have been asserted by herself in accordance with the Copyright, Designs and Patents Act 1988.

Contents

Contents

Introduction

Love puzzles? Love French? This book is designed to consolidate and extend your French vocabulary on a variety of topics whilst training your brain to solve problems.

As a French teacher, I am always trying to find different resources that motivate my students. As such, this book offers testing exercises for the beginners, which can be used as a tool in lesson plenaries, and challenges the more able students. The engaging riddles will help encourage competition in the classroom. The tasks will also be a fun way to practise and revise your French at home. The puzzles are grouped under various common themes from sports to food, Christmas to Easter.

The solutions to all the puzzles can be found on easy-to-use answer pages at the back of the book.

Can you work out which reindeer has been asigned which coloured sleigh? Which monkey ate which fruit? And who won the cycle race? Can you solve the sudoku games? Give these puzzles a try and become an expert in French problem solving. Let the challenges begin. *Allons-y !*

Les réponses rapides

Qui suis-je ?

1. Elle a un œil, mais elle ne peut pas voir. _____

2. Il parcourt le monde entier, mais il reste dans son coin. _____

3. Combien d''animaux de chaque espèce Moïse emporta-t-il dans son arche ? _____

4. Elle a un visage et deux mains, mais elle n'a ni bras ni jambes. _____

5. Quel mois a vingt-huit jours ? _____

6. Un homme qui habite à Calais ne peut pas être enterré à Paris. Pourquoi ? _____

7. Il a un pouce et quatre doigts, mais il ne vit pas. _____

8. Il doit être cassé avant qu'il ne puisse être utilisé. _____

9. Il porte ses chaussures quand il dort. _____

10. Tu en es le propriétaire, mais c'est plus utilisé par d'autres personnes. _____

11. Il monte, mais ne revient jamais vers le bas. _____

12. Il a un pied, mais il n'a pas de jambes. _____

13. Je me brise lorsque l'on me nomme. _____

14. Quel mot est orthographié incorrectement dans tous les dictionnaires ? _____

15. Les scientifiques tentent de découvrir ce qui est entre la terre et le ciel. _____

16. Le père Calle a cinq filles : Câlina, Camélia, Camberai, Candi. Quel est le nom de la cinquième fille ? _____

17. C'est noir quand vous l'achetez, rouge quand vous l'utilisez et gris quand vous le jetez. _____

18. J'ai un cou, mais pas de tête. J'ai deux bras, mais pas de mains. Je suis avec vous au collège. Je suis avec vous au travail. _____

19. Nourrissez-moi et je vis. Donnez-moi une boisson et je meurs. _____

20. Je suis facile à perdre et irrécupérable ? _____

21. Je peux venir les larmes aux yeux. Je peux ressusciter les morts. Je peux faire sourire. Je peux inverser le temps. Je me forme en un instant, mais je dure toute une vie. Qui je-suis ? _____

22. Qu'est-ce qui retient l'eau, mais est plein de trous. _____

23. Les huit d'entre nous passent devant ou derrière pour le protéger des ennemis qui l'attaquent. Qui sommes-nous ? _____

24. Je peux être long ou court. Je peux grandir ou être acheté. Je peux être peint ou laissé à nu. Ma pointe peut être ronde ou carrée. _____

25. Il n'a ni yeux ni jambes. Il n'a pas d'oreilles et il est assez fort pour bouger la terre. _____

©Debbie Leadbetter
and Brilliant Publications Limited

Une course de vélo

Il y avait quatre candidats,

- Jacques a gagné.

- Le candidat qui a porté le numéro deux a porté de tee-shirt rouge, mais André n'a pas porté de tee-shirt jaune.

- Le perdant a porté un tee-shirt bleu et Karl a porté le numéro un.

- Léon a terminé avant Karl et la personne qui est venue à la deuxième place a porté le numéro trois.

- Le candidat qui a porté un tee-shirt jaune a terminé avant le candidat qui a porté un tee-shirt vert.

- Un seul candidat portait le même numéro que leur position finale.

Complétez le tableau.

Position	Prénom	Numéro	Couleur
1			
2			
3			
4			

Qui a terminé à quelle position ?

Quel a été leur numéro ?

Quelle était la couleur de leur tee-shirt ?

La pêche

Deux pères et deux fils sont à la pêche. Ils ont chacun attrapé un poisson qu'ils emportent avec eux. Ils ne perdent pas un poisson en route, mais quand ils arrivent à la maison, ils ont seulement trois poissons.

Pourquoi ?

©Debbie Leadbetter
and Brilliant Publications Limited

Les exploits sportifs

Quatre mères et les exploits sportifs de leurs enfants.

- Le fils de Béatrice Barre ne joue pas au foot.
- Le fils de Sonia s'appelle Fabien. Il a douze ans.
- Le fils de Sandrine adore le tennis.
- Émilie a le fil le plus âgé. Il s'appelle Henri.
- Albert joue au rugby. Il est le garçon le plus jeune.
- Les garçons ont dix, douze, quatorze et seize ans.
- Luc Duvel a quatorze ans.
- Le garçon le plus âgé adore le foot. Son nom de famille est 'Olivier'.
- Sonia Samuel adore jouer au volley avec son fils.

Complétez le tableau.

Le prénom de la mère	Le nom de famille	Le prénom du fils	Le sport	L'âge du fils
Béatrice				
Sonia				
Émilie				
Sandrine				

Jeu, set et match !

Deux femmes ont joué au tennis. Après trois sets complets, les deux ont gagné.

Comment est-ce possible ?

Les sports

Un spectacle équestre

Trois amies prennent leurs chevaux pour participer à un spectacle équestre. Chaque fille gagne un prix. Quelle fille a gagné quel prix ?

- Le cheval d'Avaline ne s'appelle pas Mystique. Ce cheval ne gagne pas.
- Chanterelle a gagné le deuxième prix.
- Le cheval d'Ana a gagné.
- Le cheval d'Avaline a fini avant le cheval d'Abella.
- Le cheval qui s'appelle Charia n'a pas perdu.

Complétez le tableau.

Le prénom de la fille	La place	Le nom du cheval
Avaline		
Abella		
Ana		

Un événement sportif

Quatre garçons sont allés à un événement sportif. Chaque garçon fait un sport différent et a un sac de couleur différente.

- Michel n'a pas un sac rouge. Il ne pratique pas son sport en intérieur.
- Le garçon qui a un sac noir, n'a pas de raquette.
- Le joueur de tennis a un sac rouge. Il s'appelle Simon.
- Alex frappe le ballon de foot et il voit Michel enfiler un gant de baseball. Michel a un sac vert.
- Le garçon qui joue au volley a un sac bleu.

Complétez le tableau.

Prénom	Le baseball	Le foot	Le tennis	Le volley	Rouge	Bleu	Noir	Vert
Michel								
Alex								
Simon								
Arthur								

Cinq olympiens

Cinq olympiens ont participé aux Jeux Olympiques. Ils viennent de différentes villes.

Complétez le tableau.

	L'équitation	La gymnastique	Le hockey	Le volley	La natation	Belleville	Jeanville	Louiseville	Lucville	Simonville
Belle										
Jean										
Louise										
Luc										
Simon										

Les olympiens s'appellent : Belle, Jean, Louise, Luc et Simon.

Les villes s'appellent : Belleville, Jeanville, Louiseville, Lucville et Simonville.

Les sports sont : l'équitation, la gymnastique, le hockey, la natation et le volley.

- Aucun olympien n'habite dans une ville dont le nom est similaire à leur prénom.
- La gymnaste n'habite pas à Louiseville.
- Simon n'aime pas l'équitation ou le volley. Il n'habite pas à Louiseville ou Belleville.
- Belle habite à Jeanville et elle ne fait pas d'équitation ou de gymnastique.
- Luc n'est jamais allé à Simonville.
- Jean ne fait pas de gymnastique ou de natation.
- La personne qui joue au hockey n'habite pas à Lucville.
- Luc adore la gymnastique.
- Simon va à la piscine tous les jours.
- Jean adore les chevaux.
- La personne qui habite à Simonville fait du hockey.

Des pizzas

Angèle, Béatrice, Chloé, Délia et Elena ont chacune acheté une pizza avec trois garnitures au choix : poivrons verts, champignons, oignons, peppéroni, saucisse, poulet, olives.

- Angèle et Chloé ont mangé de la saucisse.

- Délia et Elena ont mangé le peppéroni. Chloé et Béatrice ont mangé des champignons.

- Délia et Angèle ont mangé du poivron vert.

- Béatrice ne mange pas de viande.

- Elena ne mange pas de légumes, mais elle adore le poulet.

- Chloé n'a pas mangé la garniture qui commence par la lettre P.

- Angèle est la seule personne qui aime les olives.

- Délia a choisi trois garnitures que commencent par la lettre P.

Quelles garnitures sur chaque pizza ?

Complétez le tableau.

Prénom	Garniture 1	Garniture 2	Garniture 3
Angèle			
Béatrice			
Chloé			
Délia			
Elena			

©Debbie Leadbetter
and Brilliant Publications Limited

Les problèmes logiques et latéraux   **11**
This page may be photocopied by the purchasing insitution only.

Des tablettes de chocolat

Quatre enfants ont vendu des tablettes de chocolat à différents endroits. Quel enfant a vendu combien de tablettes de chocolat et à qui ?

- La plupart des tablettes de chocolat ne se sont pas vendues au parc ou à l'église.

- Sabine a vendu douze ou quinze tablettes de chocolat.

- André a vendu plus de tablettes de chocolat au parc qu'une autre personne.

- Louise a vendu plus de tablettes de chocolat que trois autres personnes, mais elle n'a pas vendu ses tablettes de chocolat à l'église.

- Nathan a vendu plus de tablettes de chocolat que Sabine qui en a vendu à ses voisins, mais moins que Louise.

- L'enfant au parc a vendu une tablette de chocolat de moins que l'enfant à l'église.

Prénom	12	13	14	15	L'église	Le parc	Le collège	Les voisins
André								
Louise								
Nathan								
Sabine								

Un panier de pommes

Il y a cinq enfants et un panier qui contient cinq pommes. Comment pensez-vous diviser les pommes de sorte que chaque enfant a une pomme et une pomme reste dans le panier ?

La nourriture

Le déjeuner

Quatre enfants prennent leur déjeuner. Chaque enfant a un grand verre d'eau, un sandwich et un fruit différent. Quel enfant a mangé quel fruit ?

Prénom	Une pomme	Une orange	Des raisins	Une banane
Camille				
Maria				
Théo				
Enzo				

- Maria et Camille doivent éplucher leurs fruits.

- Théo n'aime pas les raisins.

- Camille a une serviette de table pour essuyer le jus de ses doigts.

Des tartes délicieuses

Chaque enfant veut une tarte différente. Qui a mangé quelle tarte ?
- Inès et Jules sont allergiques aux produits laitiers.
- Noé et Daniel n'aiment pas les fruits.
- Jules adore les pommes.
- L'enfant qui a mangé la tarte aux cassis n'était pas Léa.
- Noé a mangé la tarte aux noix de pécan.

Prénom	Crème au chocolat	Crème à la banane	Pommes	Cassis	Noix de pécan.
Jules					
Daniel					
Noé					
Léa					
Inès					

©Debbie Leadbetter
and Brilliant Publications Limited

Les problèmes logiques et latéraux **13**
This page may be photocopied by the purchasing insitution only.

Un pique-nique

Quatre amis pique-niquent. Chaque ami a une boisson différente avec un arôme différent.

Les boissons sont ...
l'eau
le jus
le thé
le soda

Les aromes sont ...
citron
citron vert
fraise
vanille

- Hélène ne boit pas d'eau citronnée, mais elle adore les citrons.

- Les hommes boivent du soda ou de l'eau.

- David n'a pas de citron vert. Il adore les boissons gazeuses.

- La fille qui ne boit pas de thé a du jus de fraise.

Le prénom	La boisson	L'arôme
Arnaud		
David		
Éloïse		
Hélène		

©Debbie Leadbetter
and Brilliant Publications Limited

La nourriture

À la cantine

La cantine au collège offre des plats du jour chaque jour, qui changent d'une semaine à l'autre. Les plats du jour se composent d'une soupe, un plat principal et un dessert. Déterminez les plats du jour pour la semaine.

- La soupe aux champignons est la soupe du jour, deux jours avant les crêpes au chocolat, mais un jour après les spaghettis à la bolognaise. La soupe aux champignons n'est pas disponible le lundi.

- Le vendredi, la soupe du jour est à la carotte, mais le cheesecake au cassis n'est pas disponible.

- Un jour, deux plats du jour sont la soupe au poulet et le ragoût de dinde, mais ce n'est pas le lundi.

- La soupe à l'oignon n'est pas servie avec les spaghettis à la bolognaise.

- Le mercredi, la tarte aux cerises est le dessert du jour.

- Le steak-frites est le plat du jour à la fin de la semaine.

- Le cassoulet de porc et la glace au chocolat sont servis le même jour que la soupe à l'oignon.

- La mousse au chocolat n'est pas servie le même jour que les spaghettis à la bolognaise.

- Les autres plats du jour sont la soupe de tomate, le poulet rôti et la tarte aux pommes.

	La soupe	Le plat principal	Le dessert
Lundi			
Mardi			
Mercredi			
Jeudi			
Vendredi			

Au bar-snack

Cinq amis sont allés à un bar-snack pour le déjeuner. Qui a acheté quoi à manger et à boire ?

- Benoit a mangé un sandwich au jambon. Le pain n'était pas au blé. Il a commandé un petit café.

- Des deux personnes qui ont acheté des boissons de taille moyenne, une personne a bu un coca et l'autre a mangé un sandwich au poulet.

- La personne qui a mangé du pain à l'oignon, a acheté un Orangina, qui n'était pas de petite taille.

- Les cinq personnes étaient : Luc qui a acheté une boisson de taille moyenne, la personne qui a acheté un grand Orangina, la personne qui a acheté un café au lait, la personne qui a mangé du pain blé et la personne qui a mangé la salade.

- Alain n'a pas mangé de pain complet, mais il a bu de la limonade.

- Le café au lait a été acheté avec du pain à la tomate, mais Robert ne les a pas achetés.

- Le fromage n'était pas avec le pain complet, mais il a été acheté avec une grande Orangina.

- La garniture du pain sésame était de la saucisse, mais Damien ne l'a pas acheté. Il boit une grande boisson.

- Robert est végétarien.

	Le pain					La garniture					La boisson					La taille				
	Le complet	La tomate	L'oignon	Le sésame	Le blé	La saucisse	Le fromage	Le jambon	La salade	Le poulet	Le café au lait	L'Orangina	Le coca	La limonade	Le thé	Petit	Petit	Moyen	Moyen	Grand
Benoit																				
Damien																				
Luc																				
Alain																				
Robert																				

©Debbie Leadbetter and Brilliant Publications Limited

Les transports

Des navires pirates

Cinq navires pirates sont arrivés sur l'île de Skull.

- Le capitaine du navire vert n'a pas trouvé la carte au trésor ou les perles.

- Barbe-Verte n'a pas trouvé l'argent ou le bronze.

- Jacques n'est pas le capitaine du navire rouge ou du navire vert.

- Barbe-Bleue est le capitaine du navire jaune. Il n'a pas trouvé les perles.

- Barbe-Noire ou Barbe-Verte ont trouvé l'or, mais pas dans le navire vert.

- Le capitaine de navire noir (qui n'est ni Gwendoline ni Barbe-Verte), a trouvé l'argent.

- Barbe-Noire ou Gwendoline, dans le navire rouge, a trouvé l'or.

- Le capitaine du navire jaune a trouvé la carte au trésor.

- Le capitaine du navire rouge a trouvé l'or.

	Rouge	Bleu foncé	Vert	Jaune	Noir	L'argent	Les perles	L'or	La carte au trésor	Le bronze
Jacques										
Barbe-Verte										
Gwendoline										
Barbe-Noire										
Barbe-Bleue										

Un chauffeur de bus

Un chauffeur de bus s'engage dans une rue de Paris. Il passe un panneau d'arrêt, mais il y a un signe 'interdiction d'entrée'. Puis il va dans le mauvais sens dans une rue à sens unique. Enfin, il dépasse une voiture de police par la droite. Cependant, il n'a pas enfreint les lois de la circulation. Pourquoi ?

Les moyens de transport

Trois personnes vont à la plage. Chaque personne se déplace par un moyen de transport différent de couleur différente.

	La voiture	La moto	Le bateau	Bleu	Orange	Vert
Clara						
Daniella						
Fred						
Bleu						
Orange						
Vert						

- Clara aime la couleur orange, mais elle déteste l'eau.
- Fred n'a pas utilisé le véhicule vert.
- Daniella a conduit la voiture.

Un homme et sa voiture

Un homme pousse sa voiture le long de la route.
Quand il arrive à un hôtel, il crie :
« Je suis en faillite. »
Pourquoi ?

Les transports

À Londres

Cinq personnes ont pris un moyen de transport différent pour aller à Londres.

- L'hélicoptère est parti le plus tôt.

- Les hommes n'ont pas voyagé par hélicoptère, ni Candice.

- Le taxi n'est pas parti à midi, ni l'autocar.

- Alaina est allée à Londres soit en voiture soit en train.

- Samuel est allé à Londres en taxi avant 9 heures.

- La train n'était pas le véhicule qui est parti le plus tard.

- Candice est partie deux heures avant Thomas.

Prénom	L'heure	Le moyen de transport
Samuel	08h00	
Thomas	Midi	
Rosie	07h00	
Candice	10h00	
Alaina	09h00	

Un petit bateau à rames

Un homme doit emmener un renard, une poule et un sac de maïs de l'autre côté de la rivière. Il a un petit bateau à rames qui ne peut transporter qu'une seule chose à la fois.

Si le renard et la poule sont laissés ensemble, le renard va manger la poule. Si la poule et le maïs sont laissés ensemble, la poule va manger le maïs.

Comment l'homme va-t-il faire ?

©Debbie Leadbetter
and Brilliant Publications Limited

Les problèmes logiques et latéraux **19**
This page may be photocopied by the purchasing insitution only.

Une course à travers la capitale

Cinq amis habitant dans le même immeuble travaillent dans le même immeuble de bureaux. Ils ont décidé de faire une course jusqu'a la maison parce qu'ils ne peuvent pas décider quel mode de transport est le mieux adapté pour traverser la capitale à l'heure de pointe.

- Laurence n'a pas pris l'autobus, mais le trajet en bus a pris vingt-cinq minutes.

- Le prénom de Monsieur Beaufort est Marc.

- L'ami qui a pris le métro a mis vingt minutes pour arriver à l'immeuble.

- Benjamin a voyagé en voiture.

- Matthieu n'a pas pris l'autobus, mais il est arrivé a l'immeuble dix minutes avant Monsieur Levet.

- Monsieur Benjamin Deniau est arrivé a l'immeuble dix minutes plus tard que Luca.

- Luca préfère marcher, mais Laurence préfère faire du vélo.

- Le prénom de Monsieur Levet n'est ni Marc ni Mattieu.

- Monsieur Lacroix est arrivé chez lui en trente-cinq minutes.

- L'ami qui est allé à pied est arrivé chez lui dix minutes plus tôt que Benjamin, mais son nom de famille n'est pas Chevalier.

- Monsieur Lacroix a un vélo.

	Marc	Luca	Matthieu	Benjamin	Laurence
40 minutes					
35 minutes					
30 minutes					
25 minutes					
20 minutes					
En métro					
À vélo					
En voiture					
En autobus					
À pied					
Lacroix					
Beaufort					
Chevalier					
Levet					
Deniau					

©Debbie Leadbetter
and Brilliant Publications Limited

Les transports

Les usagers des transports en commun

Chaque usager a utilisé une ligne de métro différente pour aller au travail.

Déterminez le nom de chaque personne, son emploi, la ligne de métro qu'elle a utilisé et à quelle heure elle est partie.

- Le professeur a utilisé la ligne rouge. Son train est parti en dernier.

- L'avocat qui a utilisé la ligne jaune est parti quinze minutes après Monsieur Baudet.

- Eloïse n'est pas informaticienne. Elle a utilisé la ligne bleue. Le train est parti quinze minutes avant le train pris par Monsieur Oliver.

- Madame Soulier travaille dans un collège.

- León a utilisé la ligne verte. Il est parti quinze minutes avant le professeur qui est parti en dernier.

- Giselle Valentin est partie à 7h15. Giselle ne travaille ni dans un collège ni dans un hôpital.

- La personne qui a pris la ligne bleue est médecin.

- Madame Eloïse Cloche est partie avant Rosamonde, qui n'est pas comptable, mais après Louis. Louis est parti le plus tôt.

- Léon n'est pas Monsieur Baudet ni Monsieur Soulier.

- Le comptable et l'informaticien sont des hommes. L'informaticien a pris la ligne noire.

	Léon	Eloïse	Giselle	Rosamonde	Louis
8h00					
7h45					
7h30					
7h15					
7h00					
La ligne jaune					
La ligne rouge					
La ligne noire					
La ligne verte					
La ligne bleue					
L'informaticien					
Le professeur					
Le médecin					
Le comptable					
L'avocat					
Baudet					
Valentin					
Olivier					
Soulier					
Cloche					

©Debbie Leadbetter
and Brilliant Publications Limited

Les problèmes logiques et latéraux

Une nouvelle voiture

- Damien Chapel n'a pas acheté une Peugeot, mais il a acheté une voiture rouge.

- Monsieur Gaultier a acheté une Citroën.

- Une femme a acheté la voiture noire.

- Francine n'a pas acheté de Mercedes violette.

- Monsieur Thomas a acheté la voiture blanche.

- Les trois hommes ont acheté (sans ordre particulier) la voiture bleue, la voiture rouge et la voiture blanche.

- Luc a acheté la voiture blanche, mais il n'a pas acheté la BMW.

- Le nom de famille d'Isabel est Abel.

- Francine a acheté une Peugeot.

	Simon	Luc	Damien	Francine	Isabel
Violet					
Rouge					
Noir					
Bleu					
Blanc					
Renault					
Peugeot					
Mercedes					
Citroën					
BMW					
Thomas					
Sylvain					
Gaultier					
Chapel					
Abel					

Un pneu crevé

Charles a vu que l'un de ses pneus de voiture était complètement à plat. Cependant, il a conduit quatre-vingts kilomètres pour aller à une réunion à Lyon et il est retourné à la maison plus tard le soir même. Il n'a pas réparé le pneu. Comment a-t-il réussi son voyage ?

©Debbie Leadbetter and Brilliant Publications Limited

Un élève préféré

Il y a trois professeurs. Chaque professeur a un élève préféré. Les noms des étudiants sont Matthieu, Robert et Guillaume. Chaque professeur a un certain âge. Les âges sont 30 ans, 35 ans et 40 ans. Trouvez l'âge de chaque professeur et le nom de leur élève préféré.

- Le professeur le plus âgé aime Robert le plus.
- Monsieur Thomas n'est pas le plus âgé ou le plus jeune.
- Monsieur Daronne n'aime pas Matthieu.
- Monsieur Fontaine n'est pas le professeur le plus âgé.
- Le professeur le plus jeune aime Matthieu le plus.

	Matthieu	Robert	Guillaume	30	35	40
M. Thomas						
M. Daronne						
M. Fontaine						

Les études

Au collège :

- 100 % des élèves étudient les maths.
- 75 % des élèves étudient la géographie.
- 85 % des élèves étudient l'histoire.
- 80 % des élèves étudient l'allemand.

Quel est le pourcentage maximum d'étudiants qui étudient les quatre matières?

Les professeurs

Monsieur Allemand, Monsieur Anglais, Monsieur Peinture et Monsieur Écrivain sont professeurs au même collège.

- Chaque professeur enseigne deux sujets différents.

- Trois professeurs enseignent l'allemand.

- Il y a seulement un professeur de maths.

- Il y a deux professeurs de chimie.

- Deux professeurs, Jean et Monsieur Anglais, enseignent l'histoire.

- Alex Allemand n'enseigne pas l'allemand.

- Stéphane est professeur de chimie. Son nom de famille est Écrivain.

- Monsieur Allemand n'enseigne pas un sujet qui est enseigné par Luc ou Monsieur Peinture.

- Monsieur Allemand aime les mathématiques.

Quel est le nom complet de chaque professeur et quels sont les deux sujets qu'ils enseignent ?

Des étudiants talentueux

Jacques, Julia, Jean, James et Joséphine vont au même collège. Ils sont des étudiants très talentueux. Chaque étudiant joue d'un instrument dans l'orchestre du collège et chaque étudiant est le champion d'un sport.

Les instruments : la guitare, la flûte, la trompette, la clarinette, le piano.

Les sports : le judo, la natation, l'équitation, le badminton, le tennis.

L'orchestre a joué au concert de printemps.

- Julia et la personne qui fait du judo sont arrivées au stage de bonne heure.

- La personne qui fait de l'équitation et la personne qui joue du piano sont arrivés juste à temps. La première chanson a été jouée sans la clarinette.

- Joséphine est arrivée en retard. Elle est tombée sur la personne qui jouait de la flûte et a trébuché sur les pieds de James qui jouait de la trompette. James fait un art martial.

- Jean ne joue pas d'instrument à vent. Il souriait à la fille qui fait de la natation, qui était la première personne à être arrivée au stage.

- Jean adore les chevaux.

- Jacques pratique un sport avec un volant et il joue du piano.

Quel étudiant joue quel instrument et pratique quel sport ?

	Julia	James	Jacques	Jean	Joséphine
Le tennis					
La natation					
Le judo					
L'équitation					
Le badminton					
La trompette					
Le piano					
La guitare					
La flûte					
La clarinette					

Cinq nouvelles planètes

Cinq scientifiques ont découvert cinq nouvelles planètes. Quel scientifique a découvert quelle planète et quel jour ?

- Albert et Dior ont découvert leurs planètes Marzo et Barzo pendant des jours consécutifs, mais pas à partir de lundi.

- Rafaël n'a pas découvert Farzo, qui a été découverte un peu plus tard dans la semaine, après la découverte de Rafaël.

- Arzo a été découverte avant Barzo, mais après Sarzo.

- Émilie a découvert la planète le jour suivant la découverte de Rafaël. Elle n'a pas trouvé Sarzo.

- Marzo a été découverte en dernier.

- Albert a découvert sa planète trois jours après Rafaël.

- Le jour de la découverte de Hugo, Sarzo et Arzo avaient déjà été trouvées.

	Arzo	Barzo	Farzo	Sarzo	Marzo	Lundi	Mardi	Mercredi	Jeudi	Vendredi
Rafaël										
Albert										
Émilie										
Dior										
Hugo										

Le mont Everest

Avant que le mont Everest ait été découvert, quelle était la montagne la plus haute dans le monde ?

©Debbie Leadbetter
and Brilliant Publications Limited

Les sciences et la nature

Une promenade le dimanche matin

Cinq couples ont fait une promenade dans les bois un dimanche matin.

Déterminez le nom complet de chaque couple et le type d'animal et d'oiseau que chaque couple a vu.

- Sean qui n'est pas marié à Colette a vu un poney.
- Le couple qui a vu un crapaud a aussi vu un rouge-gorge.
- Nicoline Garreau n'a pas vu de faucon.
- Alphonse Aubin n'a pas vu de buse ou de crapaud. Monsieur et Madame Aubin n'ont pas vu de faisan.
- Monsieur et Madame Bosson ont vu un cerf. Le nom de famille de Daniel n'est pas Bosson.
- Le nom de famille de Daniel n'est pas Chapel. Daniel a vu une faucon, mais il n'a pas vu d'écureuil roux.
- Monsieur et Madame Devereux ont vu un lièvre.
- Le couple qui a vu un cerf n'a pas vu de faisan.
- Henri n'a pas vu d'écureuil roux. Sa femme s'appelle Rochelle.
- Le nom de famille d'Henri n'est pas Devereux.
- Dana a vu un pic vert. Elle est mariée à Alphonse.
- Bruno et sa femme qui s'appelle Abbie n'ont pas vu de rouge-gorge.
- Rochelle Chapel n'a pas vu de faisan mais elle a vu un rouge-gorge.

Les femmes : Abbie, Colette, Dana, Nicoline, Rochelle

Les noms de famille : Aubin, Bosson, Chapel, Devereux, Garreau

Les animaux : un cerf, un crapaud, un écureuil roux, un lièvre, un poney

Les oiseaux : une buse, une faucon, un faisan, un pic vert, un rouge-gorge

L'homme	La femme	Le nom de famille du couple	L'animal	L'oiseau
Alphonse				
Bruno				
Daniel				
Sean				
Henri				

©Debbie Leadbetter
and Brilliant Publications Limited

Les problèmes logiques et latéraux **27**
This page may be photocopied by the purchasing insitution only.

Des fleurs

Cinq femmes ont acheté cinq types différents de fleurs, pour cinq raisons différentes. Elles ont acheté les fleurs a des jours différents.

- Les fleurs ont été achetées dans l'ordre suivant : les tulipes, les fleurs pour le bureau, les fleurs violettes, les roses pour le parc et les fleurs blanches qui ont été achetées par Aimée.
- Caron adore les fleurs mais elle est allergique, donc elle n'oserait jamais les avoir à l'intérieur.
- Il a plu mercredi et vendredi, donc le mariage et l'anniversaire ont eu lieu à l'intérieur.
- Rochelle a acheté ses fleurs après Serrée, mais avant Bella.
- Rochelle a choisi les fleurs oranges pour correspondre à la couleur de ses rideaux.
- Le mercredi, les seules fleurs violettes disponibles au magasin étaient les marguerites.
- Les fleurs rouges ont été achetées après les glaïeuls.
- Les fleurs pour l'anniversaire ont été achetées après les fleurs pour le bureau, mais avant les fleurs pour le mariage.

Complétez le tableau.

	Roses	Marguerites	Fleurs de lys	Tulipes	Glaïeuls	Blanc	Jaune	Orange	Rouge	Violette	L'anniversaire	Le bureau	Le jardin	Le mariage	Le parc
Aimée															
Bella															
Caron															
Rochelle															
Serrée															
Lundi															
Mardi															
Mercredi															
Jeudi															
Vendredi															

©Debbie Leadbetter
and Brilliant Publications Limited

Une promenade dans les bois

Cinq élèves et leur instituteur ont fait une promenade dans les bois. Quand ils sont retournés à l'école, l'instituteur a dit aux élèves d'écrire un rapport sur un des animaux ou oiseaux qu'ils ont vus. Déterminez le nom complet de chaque élève et l'animal ou l'oiseau sur lequel ils ont choisi d'écrire.

- Jean-Luc n'a pas écrit au sujet du faisan.

- Le nom de famille de Guillaume n'est pas Gérard. Guillaume a écrit au sujet d'un oiseau.

- Le nom de famille de Léo n'est ni Baptise ni Gaultier.

- Jean-Luc qui a le nom de famille Baptise n'a pas écrit au sujet du faisan.

- La fille qui a le nom de famille Gérard n'a pas écrit au sujet du renard.

- Le nom de famille d'Émilie n'est pas Deneuve.

- Carole n'a pas écrit au sujet du cerf ni de la grenouille.

- Monsieur Deneuve a écrit au sujet du faisan.

- Émilie a écrit au sujet du rouge-gorge.

- Un garçon a le nom de famille Chardonnet. Il a écrit au sujet du cerf.

Le prénom	Baptise	Chardonnet	Deneuve	Gaultier	Gérard	Le cerf	Le faisan	La grenouille	Le renard	Le rouge-gorge
Guillaume										
Jean-Luc										
Léo										
Émilie										
Carole										

Un concours scientifique

Sept étudiants ont gagné une médaille pour leur expérience scientifique au concours annuel de science à leur collège.

- Un étudiant a démontré une éruption volcanique avec un volcan fait de vinaigre et de bicarbonate de soude.

- Une étudiante a fait des haut-parleurs de ballon pour démontrer comment l'air comprimé à l'intérieur d'un ballon amplifie les petits sons en gros bruits.

- Un étudiant a recréé un arc-en-ciel en utilisant le soleil et l'eau.

- Un étudiant a démontré l'électricité statique et les électrons en utilisant des ballons.

- Une étudiante a écrit des messages secrets avec de l'encre invisible fabriquée à partir de jus de citron.

- Un étudiant a conçu un parachute pour démontrer les principes scientifiques qui permettent d'abaisser un objet au sol. Il a gagné la cinquième place.

- Le vainqueur de la troisième place, Corbin, n'a pas expérimenté avec le vent.

- La fille qui a gagné la septième place n'a pas manipulé de ballons.

- Pierre Masson a gagné la sixième place avec son volcan.

- Lucien a gagné la deuxième place. Il a démontré les électrons.

- L'expérience d'Eliot a été placée une position plus élevée que l'expérience de Pierre.

- L'expérience de Léo a été placée une position après l'expérience de Corbin.

- La troisième place a été attribuée à la personne qui a fait un arc-en-ciel.

- Corbin n'a pas fait l'encre invisible. Il n'a pas non plus joué avec un parachute.

- Kaci n'a pas fait l'encre invisible, mais elle a gagné le concours.

	Un arc-en-ciel	L'électricité statique	L'encre invisible	Des haut-parleurs	Un parachute	Une tornade	Un volcan	1	2	3	4	5	6	7
Eliot														
Léo														
Pierre														
Lucien														
Corbin														
Kaci														
Dahlia														

©Debbie Leadbetter
and Brilliant Publications Limited

Monsieur Jardinier

Monsieur Jardinier est jardinier paysagiste. Il a conçu son jardin en différentes zones. Dans quelle zone a-t-il mis quel arbre, quel légume, quelle fleur et quel ornement ?

- La zone avec la cascade est la zone avec le châtaignier, mais n'est pas la zone avec des petits pois ni un hérisson en pierre.

- On peut faire un vœu dans la zone avec des poireaux et on peut y manger des cerises.

- On peut manger une pomme près de l'horlo.

- Les papillons solaires se trouvent dans le bouleau d'Europe.

- Le bouleau d'Europe n'est pas près des épinards ni de poireaux.

- Les primevères ont été plantées autour de l'étang.

- Les fées solaires sont dans le châtaigner.

- Le hêtre commun n'est pas près des hyacinthes.

- Un gnome est près de la fontaine, sous le hêtre commun.

- Il n'y a pas de primevères ni de pétunias ni de hyacinthes près de poireaux.

- Une tortue a été placée devant les pensées.

- Les tomates sont dans la même zone que les fées et les hyacinthes.

- La zone avec le gnome est la même zone que les épinards et les pétunias.

- La tortue en bronze et les pensées sont sous le pommier.

- Les petits pois sont à côté de l'horloge à eau.

Complétez le tableau à la page suivante.

©Debbie Leadbetter
and Brilliant Publications Limited

Monsieur Jardinier

	Une cascade	Une fontaine	Un étang	Une horloge à eau	Un puitá souhaits
Des papillons solaires					
Des fées solaires					
Un hérisson en pierre					
Une tortue en bronze					
Un gnome					
Des pensées					
Des pétunias					
Des hyacinthes					
Des primevères					
Des pivoines					
Des poireaux					
Des petits pois					
Des tomates					
Des radis					
Des épinards					
Un bouleau d'Europe					
Un cerisier					
Un pommier					
Un châtaigner					
Un hêtre commun					

©Debbie Leadbetter
and Brilliant Publications Limited

Du jardinage

Déterminez le nom complet de chaque femme, quel type de fleur elles ont planté et le jour ou elles ont planté leurs bulbes.

- Madame Guérin n'a pas planté ses fleurs le vendredi.

- Mélissa Herbert n'a pas planté de violettes.

- Zoé a planté des primevères, mais elle n'a pas planté de bulbes le mardi ou le jeudi.

- Mélissa a planté ses bulbes avant Justine, mais après Elisa.

- Les pensées ont été plantées mardi mais Maëva n'a pas planté de pensées.

- Le nom de famille de Maëva n'est pas Larue. Elle n'a pas jardiné le lundi.

- Le nom de famille de Zoé n'est pas Guérin.

- Les violettes ont été plantées vendredi.

- Les jonquilles ont été plantées jeudi.

- Madame Augustin n'a pas planté ses bulbes mardi ou mercredi, mais son prénom n'est ni Elise ni Justine.

- Le nom de famille de Justine n'est pas Guérin.

- Les cinq femmes sont : Madame Poulin, la femme qui a planté des pensées, la femme qui a planté ses bulbes mercredi, la femme qui a planté des glaïeuls et Mélissa.

- Le nom de famille de Zoé n'est pas Augustin.

- Les glaïeuls ont été plantés mardi.

Complétez le tableau à la page suivante.

Du jardinage

	Herbert	Guérin	Poulin	Augustin	Larue	Des violettes	Des jonquilles	Des pensées	Des glaïeuls	Des primevères	Le lundi	Le mardi	Le mercredi	Le jeudi	Le vendredi
Mélissa										X					
Zoé															
Justine															
Élisa															
Maëva															
Des violettes															
Des jonquilles															
Des pensées															
Des glaïeuls															
Des primevères															
Le lundi															
Le mardi															
Le mercredi															
Le jeudi															
Le vendredi															

©Debbie Leadbetter
and Brilliant Publications Limited

Quel métier ?

Monsieur Boucher, Monsieur Coiffeur, Monsieur Pompier et Monsieur Vétérinaire sont boucher, coiffeur, pompier et vétérinaire (sans ordre particulier). Chaque homme porte la même couleur de chemise chaque jour. Un homme porte une chemise bleue, un autre une chemise cerise, un autre une chemise violette et le dernier une chemise couleur pêche.

- Le métier de chaque homme ne correspond pas à son nom de famille.
- La couleur de chaque chemise commence par une lettre qui est différente de la première lettre de son nom et de son métier.
- Monsieur Pompier et le vétérinaire dînent régulièrement ensemble au restaurant.
- Monsieur Pompier ne porte jamais de chemise violette.
- Monsieur Coiffeur est boucher.

Trouvez le métier et la couleur de chemise de chaque homme.

	Le boucheur	Le coiffeur	Le pompier	Le vétérinaire	La chemise bleue	La chemise cerise	La chemise de couleur pêche	La chemise violette
Monsieur Boucher								
Monsieur Coiffeur								
Monsieur Pompier								
Monsieur Vétérinaire								

Les emplois

Trois personnes – Monsieur Martin, Monsieur Bernard et Monsieur Dubois. Chaque homme – ont chacun un emploi différent. Ces emplois sont : pompier, agent de police et infirmier. Chaque homme a un jour de congé : le lundi, le jeudi ou le dimanche. Qui a quel emploi et quel jour de congé ?

- Monsieur Bernard veut être infirmier, parce que le travail paie plus d'argent que son emploi actuel.
- Monsieur Dubois a un jour de congé le week-end.
- L'homme qui a un jour de congé le jeudi n'est pas pompier.
- Monsieur Martin est pompier.

Le nom	L'emploi	Le jour de congé
Monsieur Bernard		
Monsieur Dubois		
Monsieur Martin		

Dans une usine de fruits
Tu travailles dans une usine de fruits.
Il y a trois boîtes. Une boîte contient des pommes. Une boîte contient des oranges. Une boîte contient des pommes et des oranges, mais la machine d'étiquetage a marqué les boîtes de manière incorrecte. Tu ne peux prendre qu'un fruit d'une seule boîte. Comment peux-tu étiqueter toutes les boîtes correctement ?

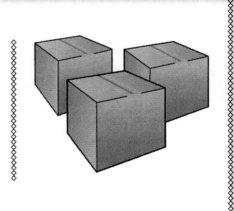

©Debbie Leadbetter
and Brilliant Publications Limited

Des nouveaux emplois

Cinq amis vont commencer de nouveaux emplois la semaine prochaine. Chaque ami va commencer un emploi différent pour une entreprise différente un jour différente.

- Le nom de famille de Philipe n'est pas Gouin. Il va commencer son nouvel emploi la veille de la directrice du marketing.

- Les cinq amis, sans ordre particulier, sont : le créateur de mode, la personne qui va commencer le jeudi, Maurice Dupont, la personne qui va travailler chez Modique et le nouveau comptable.

- Sabine ne commencera pas son travail le lundi. Elle n'est pas mannequin.

- La personne avec le nom de famille – Germain – commencera son emploi mercredi.

- La personne avec le nom de famille Renault commencera son nouvel emploi deux jours avant Céline Gouin, mais un jour après la personne qui va travailler chez Le Chic.

- L'ami qui va travailler chez Fashionista, travaillera comme comptable.

- Stephan va commencer son emploi vendredi.

- Le photographe, qui n'est pas Maurice, va travailler chez Bellique.

- Monsieur Benedict ne va pas commencer son emploi le mardi. Philipe va travailler chez Bonita, mais il n'est pas mannequin.

- Céline a acheté un nouvel appareil-photo pour son emploi qui va commencer un jour après mercredi.

- Le créateur de mode va travailler chez Bonita et le photographe va travailler chez Bellique.

	Céline	Stephan	Philipe	Maurice	Sabine
directrice du marketing					
mannequin					
photographe					
comptable					
créateur de mode					
vendredi					
jeudi					
mercredi					
mardi					
lundi					
Modique					
Le Chic					
Fashionista					
Bonita					
Bellique					
Renault					
Gouin					
Germain					
Dupont					
Benedict					

Dans l'avenir

Cinq étudiants à l'université parlent de leurs emplois dans l'avenir. Déterminez le nom de famille, l'emploi et le pays de chacun.

- Thomas adore les animaux. Son nom de famille n'est pas Bourdier ni Abel.

- Olivier aime les enfants, mais il n'aime pas les personnes de troisième âge.

- Louis aime le danger. Il adore le nord de la Grande-Bretagne.

- Louis veut habiter à Édimbourg où il voudrait y travailler.

- Samuel n'a pas son permis de conduire. Il adore Londres.

- Le professeur veut travailler dans son pays de naissance. Il veut habiter à Perpignan.

- Monsieur Abel est français.

- Samuel étudie les sciences et il voudrait travailler avec les personnes qui sont malades.

- Monsieur Matisse veut devenir Docteur Matisse.

- Monsieur Bourdier va à habiter en Ecosse, mais Monsieur Brice va à habiter en Irlande.

- L'homme qui veut être vétérinaire va à habiter dans le nord du pays de Galles.

	Thomas	Olivier	Samuel	Robert	Louis
Un vétérinaire					
Un professeur					
Un pompier					
Un médecin					
Un chauffeur					
Le pays de Galles					
L'Irlande					
La France					
L'Écosse					
L'Angleterre					
Matisse					
Fortier					
Brice					
Bourdier					
Abel					

©Debbie Leadbetter and Brilliant Publications Limited

Les vacances et les excursions

En vacances

Cinq couples sont allés en vacances ensemble. Un jour, ils ont fait une excursion en bateau pour visiter une île voisine et chaque couple a fait des choses différentes.

Déterminez les prénoms et les noms de famille de chaque couple, ce qu'ils ont fait pendant la journée et le souvenir qu'ils ont acheté.

- Le couple qui a fait de la plongée n'a pas acheté de bonbons, mais ils ont aimé le souvenir que Luc et Amélie ont acheté.

- Simon (dont le nom de famille n'est pas Brice) a été déçu de son score au golf. Pascal Damas (qui n'est pas marié à Maribel) voulait faire du tourisme avec Luc Bernard, mais au lieu de ça, il a surfé avec sa femme.

- Thierry n'est pas le mari de Rachel et Pippa n'est pas la femme d'Alex.

- Alex n'a pas a fait de randonnée.

- Le couple qui a fait du tourisme a acheté un dauphin en bois.

- Le dauphin en bois et la maquette de bateau que Nadia a acheté ont été votés les meilleurs souvenirs.

- Simon Faille est marié à Rachel. Il a aimé les chemises que Simon a acheté.

- Thierry (dont le nom de famille n'est pas Armand) a acheté des cartes postales.

Prénom	Femme	Nom de famille	Activités	Souvenirs
Luc				
Alex				
Simon				
Thierry				
Pascal				

©Debbie Leadbetter and Brilliant Publications Limited

Les problèmes logiques et latéraux **39**
This page may be photocopied by the purchasing insitution only.

Les choses oubliées

Cinq amies sont allées en vacances en Espagne, mais chaque fille a oublié quelque chose. Déterminez l'objet que chaque fille a oublié et sa couleur.

- Lisa ne pouvait pas voir parce que le soleil était éclatant.
- Ronda ne pouvait pas nager parce qu'elle avait oublié son maillot de bain.
- Aimée ne pouvait pas aller en ville à midi parce qu'elle ne voulait pas avoir mal à la tête.
- Bella a dû utiliser son sac à main noir parce qu'elle avait oublié son sac à main blanc.
- Rochelle ne pouvait pas savoir l'heure.
- La couleur préférée de Lisa est le violet.
- Le maillot de bain n'était ni orange ni rose.
- La casquette n'était ni orange ni bleue.

	Le chapeau	Les lunettes de soleil	Le maillot de bain	La montre	Le sac à main	Blanc	Bleu	Orange	Rose	Violet
Lisa										
Ronda										
Aimée										
Bella										
Rochelle										

À l'arrêt d'autobus.

Tu es en route pour un restaurant avec ton père, ta mère et ton frère. Tu conduis la voiture quand tu passes devant un arrêt d'autobus où il y a trois personnes : une vieille dame qui semble être sur le point de mourir, un vieil ami qui t'a sauvé la vie une fois et le/la partenaire parfait(e) de tes rêves. Tu ne peux prendre qu'un passager de plus dans la voiture. Qui choisis-tu ? Pourquoi ?

©Debbie Leadbetter and Brilliant Publications Limited

Les vacances et les excursions

Des excursions d'été préférées

Cinq personnes ont nominé e leurs excursions préférées qu'ils ont fait l'été dernier.
Déterminez le nom complet de chaque personne, où ils sont allés et où ils habitent.

- Camille n'a pas le nom de famille Abel.

- Eva n'habite pas à Paris. elle habite en Angleterre.

- La personne qui est allée à la plage n'habite pas à Bordeaux.

- Noah Thomas n'est pas allé au zoo. Il habite en France.

- Clément n'a pas le nom de famille Babin.

- Madame Babin habite à Londres.

- Monsieur Abel est allé au parc d'attractions.

- Camille est allée à la plage.

- Noah n'habite pas à Bordeaux.

- L'enfant qui habite à Douvres est allé à la plage.

- Mademoiselle Favier n'est pas allée au zoo.

- Eva n'a pas le nom de famille Abel.

Le prénom	Abel	Babin	Favier	Thomas	Le parc d'attractions	La plage	Le théâtre	Le zoo	Bordeaux	Douvres	Londres	Paris
Noah												
Camille												
Clément												
Eva												

Les vacances et les excursions

Au bal

Adèle, Juliette, Hugo et Léo sont allés au bal. Chacun a trouvé un(e) partenaire de danse qui n'était pas dans leur groupe d'origine.
Qui a dansé avec qui ?

- Zoé n'a pas dansé avec Hugo.
- Le partenaire de Juliette a aussi un nom à trois syllabes.
- Adèle a trouvé un partenaire dont le nom commence par la même lettre.

	Léo	Hugo	Adam	Gabriel
Adèle				
Juliette				
Zoé				
Mila				

Au zoo

Cinq amis sont allés au zoo. Chaque enfant porte un tee-shirt de couleur différente. Chaque enfant a un animal préféré.

- Un enfant a porté un tee-shirt qui était de la même couleur que son animal préféré.
- Simon n'a pas porté de tee-shirt rouge. Il est allé à la zone australienne.
- Aurélie n'a pas visité les lions. Elle portait un tee-shirt jaune.
- Christophe a visité le roi de la jungle. Il a vu une fille qui regardait les singes. Elle portait un tee-shirt rouge.
- Paul n'aime pas les éléphants. Il a entendu le garçon, qui portait un tee-shirt violet, rugir.
- En chemin vers les singes, Marley a vu Simon qui portait un tee-shirt noir.

	Les éléphants	Les kangourous	Les lions	Les singes	Les ours polaires	Noir	Violet	Rouge	Blanc	Jaune
Aurélie										
Christophe										
Marley										
Paul										
Simon										

©Debbie Leadbetter
and Brilliant Publications Limited

Les vacances et les excursions

À l'agence de voyage

Cinq amies sont dans une agence de voyage. Elles veulent partir en vacances ensemble, mais elles ne peuvent pas se décider. Déterminez qui veut aller dans quel pays et au moyen de quel transport. Qui veut faire quelle activité ?

- Solène veut aller en Grande-Bretagne. Elle adore la nature.

- Aujourd'hui, il neige en Suisse.

- Rosa veut acheter de nouveaux vêtements.

- L'Italie est la capitale de la mode.

- Chloé aime faire du ski, mais elle souffre du mal de l'air en avion.

- Fleur n'aime pas conduire. Elle veut prendre un taxi à l'aéroport.

- Fleur aime nager dans la mer Méditerranée.

- Landry aime faire de l'escalade.

- Rosa aime s'asseoir sur le pont. Elle adore les vues de la mer.

- Landry veut aller dans les Pyrénées.

- Solène a le mal de mer quand elle voyage en bateau. Elle préfère voyager sous la Manche.

- Landry aime regarder les paysages par la fenêtre du train.

	Chloé	Fleur	Landry	Rosa	Solène
La Grèce					
La Suisse					
L'Italie					
La France					
L'Écosse					
La natation					
Le ski					
Le shopping					
L'escalade					
La randonnée					
L'avion					
La voiture					
Le bateau					
Le train					
Le Tunnel sous la Manche + la voiture					

Des robes

Pouvez-vous déterminer la couleur des robes et des cheveux de chaque fille ?

- Juliette a les cheveux roux et la fille avec les cheveux noirs porte une robe verte.
- Lola n'a pas les cheveux blonds et Lucie n'a pas les cheveux bruns.
- Clara porte une robe bleue.
- La fille aux cheveux blonds ne porte pas de robe rouge et Lucie ne porte pas de robe verte.
- Je ne sais pas quelle fille porte la robe jaune.

Le prénom	La robe	Les cheveux
Juliette		
Lucie		
Lola		
Clara		

Cinquante-trois chaussettes

Un garçon a cinquante-trois chaussettes dans son tiroir.

- Vingt-et-une chaussettes sont bleues identiques.
- Quinze chaussettes sont noires identiques.
- Dix-sept chaussettes sont rouges identiques.
- Il fait sombre dans la chambre.

Combien de chaussettes le garçon doit-il prendre pour s'assurer qu'il ait une paire de chaussettes noires ?

Les vêtements

L'achat de chaussures

Hier, Delphine et ses amies ont fait du shopping. Chaque fille a acheté une paire de chaussures. Déterminez le nom de chaque fille, le type de chaussures que chaque fille a acheté et la couleur de chaque paire de chaussures.

- Nicole Fièvre n'a pas acheté de bottes.
- Mademoiselle Panier a acheté des chaussures bleues.
- Les baskets n'étaient pas violettes.
- Les bottes étaient marron, mais mademoiselle Chevalier ne les a pas achetées.
- Le nom de famille de Sandra n'est pas Laurier.
- Lola n'a pas achetée de talons aiguilles.
- Le nom de famille de Béatrice n'est pas Panier, mais elle a acheté des sandales qui n'étaient pas noires.
- Mademoiselle Panier a acheté des baskets. Son prénom est Sandra.
- Mademoiselle Laurier a acheté des bottes.

	Fièvre	Panier	Laurier	Chevalier	Les bottes	Les talons aiguilles	Les sandales	Les baskets	Noir	Marron	Violet	Bleu
Lola												
Béatrice												
Nicole												
Sandra												

Combien de combinaisons ?

Denis a un pull bleu clair, un pull rouge, un pull vert, un pull violet, un pantalon bleu foncé, un pantalon noir et un pantalon gris. Combien de combinaisons peut-il porter ? Complétez un tableau montrant toutes les possibilités

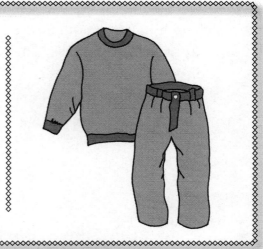

Les vêtements

Le magasin de chapeaux

Hier, le magasin de chapeaux a vendu cinq chapeaux à cinq hommes différents. Qui a acheté quel chapeau et de quelle couleur était chaque chapeau ?

- Martin n'a pas acheté le béret, mais il a acheté le chapeau noir.

- Claude a acheté un chapeau marron.

- Monsieur Étienne n'a pas acheté le chapeau laineux.

- L'homme qui a acheté le béret rouge n'était pas Monsieur Albert.

- Oliver n'a pas acheté le chapeau bleu.

- Derek n'est pas Monsieur Dufort. Derek n'a pas acheté la casquette.

- L'homme qui a acheté un gatsby a le nom de famille Belmont.

- George Étienne n'a pas acheté le chapeau rouge.

- Oliver n'a pas acheté le béret.

- Monsieur Albert n'a pas acheté la casquette. Il a acheté le chapeau gris.

- La casquette est bleue.

- Monsieur Albert n'a pas acheté le chapeau noir.

- Monsieur Belmont a acheté le chapeau noir.

- Les cinq hommes étaient : Claude, l'homme qui a acheté le gatsby, l'homme qui a acheté le trilby gris, l'homme qui a acheté la casquette et Monsieur Blanchette.

	Martin	Derek	Claude	Oliver	George	Le prénom
Albert						
Belmont						
Blanchette						
Dufort						
Étienne						
Le béret						
La casquette						
Le gatsby						
Le chapeau laineaux						
Le trilby						
bleu						
marron						
gris						
noir						
rouge						

46 Les problèmes logiques et latéraux
This page may be photocopied by the purchasing insitution only.

©Debbie Leadbetter
and Brilliant Publications Limited

Une animalerie

Quatre enfants sont allés à une animalerie qui vend des animaux insolites. Chaque enfant a acheté un animal différent. Faites correspondre chaque enfant à son animal.

- Aucune enfant n'a un animal qui commence par la même lettre que son prénom.
- Daniel n'a pas un animal qui vit dans l'eau.
- Lola est allergique à la fumée.
- Sonia aime voler.

	Un renne	Un serpent de mer	Un lamantin	Un dragon
Daniel				
Robert				
Lola				
Sonia				

Les animaux

Nous avons acheté un animal domestique

Quatre amis sont allés à l'animalerie. Chaque ami a acheté un animal différent.

- L'animal de Raoul ne s'appelle pas Wiatt.
- La fille qui a nommé son animal Sacha a peur des serpents.
- Julie n'a pas nommé son animal Talbot, qui n'est pas un chien.
- Bernard a acheté un singe.
- Le chat s'appelle Saber ou Wiatt.
- Julie aime le nom Wiatt. C'est le nom du serpent qu'Isabel a acheté.

	Chat	Chien	Singe	Serpent	Saber	Sacha	Talbot	Wiatt
Bernard								
Julie								
Raoul								
Isabel								

Des singes

Le zoo a quatre singes – deux males et deux femelles. A midi, chaque singe mange un fruit différent dans leur lieu favori. Nommez chaque singe, le fruit qu'ils mangent et l'endroit où ils mangent.

- Francis n'aime pas les bananes. Il s'assied sur l'herbe.

- Le singe qui s'assied sur le rocher mange une pomme.

- Le singe qui mange la poire ne s'assied pas dans l'arbre.

- Alexia se trouve à côté de ruisseau, mais elle n'aime pas les poires.

- Kalia ne s'assied pas dans l'arbre.

- Arturo n'aime pas les oranges.

Les singes	Le fruit	Le lieu
Alexia		
Kalia		
Arturo		
Francis		

Un escargot

Un escargot a décidé d'atteindre le toit d'une maison. Le mur fait dix mètres de haut. L'escargot monte trois mètres pendant la journée, mais pendant la nuit, il glisse et tombe deux mètres plus bas. Combien de jours faut-il à l'escargot pour atteindre le toit ?

Le coût des animaux

Trois personnes ont chacune acheté un animal. Ils s'appellent Frédéric, Ana et Sébastien. Les animaux qu'ils ont achetés sont un serpent, un cacatoès et un lapin. Les animaux ont coûté cent livres-sterling, cinquante livres-sterling et vingt-cinq livres-sterling

Trouvez l'animal que chaque personne a acheté et son coût d'achat ?

- Frédéric est allergique aux oiseaux.
- Sébastien n'avait que trente livres-sterling dans son portefeuille.
- Ana a économisé cinq livres-sterling par semaine pendant dix semaines pour acheter son animal.
- Le mammifère a coûté cinquante livres-sterling. Ana a acheté cet animal.

	Le lapin	Le cacatoès	Le serpent	£100	£50	£25
Frédéric						
Ana						
Sébastien						

Combien de chats ?

Valérie habite avec des chats.

- Tous sauf deux sont complètement noirs.
- Tous sauf deux sont complètement blancs.
- Tous sauf deux sont complètement gris.

Combien de chats habitent chez Valérie ?

©Debbie Leadbetter
and Brilliant Publications Limited

Les problèmes logiques et latéraux **49**
This page may be photocopied by the purchasing insitution only.

Des peluches

Marielle adore les animaux. Elle a cinq peluches dans sa chambre. Chacune des peluches se trouvent dans une partie de sa chambre. Déterminez les noms et types de peluches, leur âge et où elles sont posées dans la chambre.

- Le nounours a deux ans. Le lion est un an plus jeune que l'animal qui est sur la table, mais le lion est aussi un an plus âgé que Remi le singe.

- Bale, qui est sur la commode, est plus âgé que Mathis de deux ans et un an plus jeune que la grenouille.

- Remi n'est pas le nounours.

- Bale n'a pas cinq ans.

- L'âne est sur le lit.

- Le singe est deux ans plus vieux que Dante.

- La grenouille s'appelle Nive, mais elle n'est pas sur la chaise.

- Remi n'est pas sur l'étagère.

	Nive	Bale	Remi	Dante	Mathis
La table					
La chaise					
La commode					
L'étagère					
Le lit					
5 ans					
4 ans					
3 ans					
2 ans					
1 an					
Un singe					
Un nounours					
Un lion					
Une grenouille					
Un âne					

La famille

Une réunion de famille

Aimée est allée à une réunion de famille. Déterminez le nom de ses quatre parents favoris, la relation entre chaque personne et l'anecdote préférée de chacun.

- Oliver est le neveu d'Aimée. Le nom de famille d'Oliver n'est pas Carré.

- Le nom de famille de Paul n'est pas Giraud.

- Henri a parlé du quatrième anniversaire d'Aimée, mais Henri n'est pas l'oncle d'Aimée. Le nom de famille d'Henri n'est pas Dupont.

- Aimée était dans la même classe que son cousin qui a décrit le spectacle scolaire infâme.

- Monsieur Dupont n'est pas le grand-père d'Aimée. Il a parlé du Noël quand Aimée avait sept ans.

- Adrian Auclair n'a pas parlé du jour à la plage.

- Paul Dupont n'a pas parlé du spectacle scolaire.

	Henri	Oliver	Paul	Adrian
Le jour à la plage				
Le spectacle scolaire				
Noël				
L'anniversaire				
L'oncle				
Le neveu				
Le grand-père				
Le cousin				
Auclair				
Carré				
Dupont				
Giraud				

La famille de M. Dubois

M. Dubois a quatre filles. Chacune de ses filles a un frère. M. Dubois a combien d'enfants ?

Les petits-enfants

Monsieur Daronne a quatre petits-enfants. Déterminez l'anniversaire (la date, le mois, l'année), pour chacun des quatre enfants.

- Ils sont nés à quatre mois consécutifs.

- L'enfant le plus âgé est né pendant un des premiers mois de l'annee.

- L'enfant qui est le deuxième ainé, est né pendant le quatrième mois.

- Les jours de leurs naissances sont rangés par ordre décroissant, de l'enfant le plus âgé à l'enfant le plus jeune.

- Trois des enfants sont nés pendant des années bissextiles, mais l'enfant le plus âgé n'est pas né pendant une année bissextile.

- L'anniversaire de Marniez est le dix-huit du mois et l'enfant le plus âgé est né le deuxième du mois.

- Les enfants ne sont pas nés en janvier ou juillet.

- Aurélie est née la même date que sa cousine.

- L'enfant le plus jeune est né le vingt-sept d'un mois qui a trente jours.

- Thierry est né en 1997.

- Aurélie est née en mai.

- Iain et un de ses cousins sont nés en 2004.

- Les années de naissance sont 1997, 2000 et 2004.

Le prénom	Le mois	La date	L'année
Thierry			
Marniez			
Aurélie			
Iain			

©Debbie Leadbetter
and Brilliant Publications Limited

La famille

Les enfants de Monsieur et Madame Chanel

Monsieur et Madame Chanel ont cinq enfants. Quel enfant a quel âge et qu'est-ce que les enfants aiment faire ?

- Les filles sont plus jeunes que les garçons.

- Henri est paresseux. Il n'aime pas le sport.

- Jacques est le fils le plus âgé.

- Alex a deux ans de moins que Jacques.

- Aveline aime être la plus jeune.

- Alex adore les chevaux.

- Aveline adore l'eau. Elle a un nouveau maillot de bain.

- Colette adore la musique, mais Jacques préfère jouer dans une équipe.

	6	8	9	10	12	La danse	L'équitation	La natation	Le rugby	La télévision
Alex										
Aveline										
Colette										
Henri										
Jacques										

Les frères et sœurs de Robert

Robert a le même nombre de frères et sœurs, mais chacune de ses sœurs a deux fois plus de frères que de sœurs. Combien de garçons et combien de filles y-a-t-il dans la famille ?

Une photo de famille

Tu vois les membres d'une famille suivants sur une photo :

Un grand-père, une grand-mère, deux pères, deux mères, six enfants, quatre petits-enfants, deux sœurs, deux frères, trois fils, trois filles, un beau-père, une belle-mère et une belle-sœur.

Combien comptes-tu de personnes au total ?

Les trois filles

La mère de Mélodie a trois filles. La première s'appelle Mai et a deuxième s'appelle Juin. Comment s'appelle la troisième fille ?

Qui est sur la photo ?

Un homme regarde la photo d'un garçon. Son ami demande : « Qui est le garçon ? » L'homme répond : « Je n'ai pas de frères ou de sœurs, mais le père de ce garçon est le fils de mon père. »
Qui est le garçon sur la photo ?

©Debbie Leadbetter
and Brilliant Publications Limited

À la confiserie

Cinq enfants sont dans une file d'attente dans une confiserie. Quel est l'ordre de la file ?

- Eva est au milieu exact de la file.
- Timeo est directement derrière Ethan.
- Nina n'est pas la première ou la dernière.
- Timeo n'est pas le premier.
- Lucie est devant Nina.

	Premier	Deuxième	Troisième	Quatrième	Cinquième
Timeo					
Lucie					
Nina					
Ethan					
Eva					

Cent édifices

Il y a cent édifices dans une rue. Ils sont numérotés de un à cent. Combien de neuf sont utilisés dans les numéros de la rue ?

Une pièce sombre

Vous avez seulement une allumette. Vous entrez dans une pièce sombre. Il y a une lampe à huile, un journal et un peu de petit bois. Lequel voulez-vous allumer en premier ?

On a fait du shopping

Cinq amis sont allés en ville pour acheter un cadeau pour l'anniversaire de leur professeur, Mme Adam. Chacun des amis a acheté un cadeau provenant d'un magasin différent. Déterminez dans quel magasin chaque ami est allé et quel cadeau ils ont acheté.

- Charlotte aime l'odeur de son cadeau.

- Simon n'est pas allé dans un grand magasin. Il sait que Mme Adam aime l'artiste qui s'appelait Claude Monet.

- Thierry n'aime pas les Galeries Lafayette ou Le Bon Marché. Il a acheté des chaussures.

- Olivia adore les fleurs. Elle n'est pas allée aux Galeries Lafayette ni chez BHV Marais.

- Éloïse est allée dans un grand magasin qui s'appelle Le Printemps. Elle a acheté des gants.

- Ni Olivia ni Thierry ne sont allés chez la Hune.

Le prénom	Une écharpe à fleurs	Un livre sur Monet	Du parfum	Des gants	Des chaussures	Le Printemps	Le Bon Marché	La Hune	Galeries Lafayette	BHV Marais
Charlotte										
Éloïse										
Olivia										
Simon										
Thierry										

©Debbie Leadbetter and Brilliant Publications Limited

Du shopping avec maman

Une mère et ses quatre enfants ont fait du shopping en ville. La mère a acheté à chaque enfant un cadeau, un casse-croûte et une boisson. Chaque enfant a aussi acheté quelque chose avec son argent de poche. Qu'est-ce que la mère a acheté à chaque enfant ? Qu'est-ce que chaque enfant a acheté avec son argent de poche ? Quel casse-croûte a été mangé par quel enfant ? Quelle boisson a été bue par quel enfant ?

- Aurélie a mangé de la glace à la fraise, mais elle n'a pas bu de jus. Elle n'a pas acheté de vernis à ongles.

- Lucille n'a pas acheté le magazine de foot ni le livre de coloriage mais sa mère lui acheté un jeu d'ordinateur.

- Un garçon a acheté une bande dessinée. Sa mère ne lui pas acheté un DVD. Il n'a pas mangé un paquet de chips.

- Il y avait l'enfant qui a acheté un livre de coloriage, le garçon qui a mangé une crêpe au fromage, Jean-Paul, et la fille qui a bu de la limonade.

- Lucille n'a pas mangé une gaufre au sirop.

- Le garçon qui a reçu les baskets a bu du chocolat chaud.

- L'enfant qui a bu du coca adorait la poupée.

- Henri n'a pas bu de chocolat chaud.

		Aurélie	Jean-Paul	Henri	Lucille
La boisson	De chocolat chaud				
	De la limonade				
	Du coca				
	Du jus				
Le casse-croûte	Une gaufre				
	Des chips				
	Une glace				
	Une crêpe				
La mère a acheté…	Une poupée				
	Un jeu d'ordinateur				
	Des baskets				
	Un DVD				
L'enfant a acheté…	Une bande dessinée				
	Un livre de coloriage				
	Un magazine de foot				
	Un vernis à ongles				

©Debbie Leadbetter
and Brilliant Publications Limited

Les problèmes logiques et latéraux **57**

Cinq maisons

Il y a cinq maisons. Chaque maison est de couleur différente. Il y a cinq personnes de nationalités différentes. Chaque personne boit une boisson différente, mange un casse-croûte et a un animal différent.

- L'Espagnol habite dans la maison bleue.

- L'Écossais a un lapin.

- L'Allemand boit du citron pressé.

- La personne qui aime les cacahuètes, a un poisson.

- La personne qui habite dans la maison verte aime le popcorn.

- La personne qui mange les biscuits parle allemand.

- La personne qui mange les beignets, boit du thé. Il habite dans la maison rose.

- L'Anglais adore les chips, mais il déteste la couleur rose.

- La personne qui habite dans la maison violette boit du café.

- Le chat habite dans la maison jaune.

- Le voisin de la personne qui mange les biscuits, boit du jus d'orange. Le voisin est italien.

- La personne qui habite dans la maison verte a un cochon d'inde.

- L'Anglais n'aime pas les oranges.

- La personne qui habite dans la maison bleue habite avec un poisson rouge.

	L'Allemand	L'Anglais	L'Écossais	L'Espagnol	L'Italien
Les beignets					
Les biscuits					
Les cacahuètes					
Les chips					
Le popcorn					
La bière					
Le café					
Le citron pressé					
Le jus d'orange					
Le thé					
Le chat					
Le chien					
Le cochon d'inde					
Le lapin					
Le poisson					
Bleue					
Jaune					
Rose					
Verte					
Violette					

©Debbie Leadbetter
and Brilliant Publications Limited

La décoration

Quatre amis ont décidé de décorer une pièce dans leur maison.

- La personne qui a décoré le salon a utilisé un thème boisé.
- Charlotte n'a pas utilisé la couleur violette.
- Il n'y a pas de fleurs dans la chambre.
- Louisa n'aime pas les plumes.
- La salle de bains a été peinte en bleu foncé et bleu clair.
- Helena n'a pas décoré le salon.
- La pièce qui a été décorée sur le thème des plumes est violette et argent.
- Charlotte adore les papillons.
- Louisa n'a pas décoré la salle de bains.
- Helena n'a pas utilisé le vert foncé et le vert clair.
- Pierre a utilisé les couleurs noir et blanc.
- Il n'y a pas de plumes dans la cuisine.
- Pierre n'a pas utilisé le thème boisé.

Pierre	Helena	Louisa	Charlotte	
				la cuisine
				la chambre
				la salle de bains
				le salon
				bleu foncé et bleu clair
				violet et argent
				vert foncé et vert clair
				noir et blanc
				le boisé
				les papillons
				les plumes
				les fleurs

Les maisons colorées

- Monsieur Rouge habite dans la maison rouge.
- Monsieur Bleu habite dans la maison bleue.
- Monsieur Noir habite dans la maison noire.

Qui habite dans la maison blanche ?

Un navire a coulé

Un navire a coulé au milieu de l'océan et les survivants ont nagé sur une île déserte.

- Il y avait assez de nourriture pour nourrir les deux cents vingt personnes et durer trois semaines.

- Six jours plus tard, un navire de sauvetage est apparu, mais ce navire a aussi coulé. Cinquante-cinq personnes de plus ont échoué sur l'île et la nourriture qui était déjà rationnée doit être partagée.

- La nourriture étant rationnée à nouveau, tout le monde survit sur une moitié de la ration d'origine.

Combien de jours à partir du premier naufrage va durer la nourriture.

Qui a volé la tarte aux pommes ?

Chaque garçon a dit un mensonge. Qui a volé la tarte aux pommes ?

Louis : Alain n'a pas volé la tarte.
　　　 Pierre a volé la tarte.

Pierre : Luc n'a pas volé la tarte.
　　　　 Alain n'a pas volé la tarte.

Luc :　 Alain a volé la tarte.
　　　　 Louis n'a pas volé la tarte

Daniel : Luc a volé la tarte.
　　　　　 Pierre a volé la tarte.

Alain : Daniel a volé la tarte.
　　　　 Louis n'a pas volé la tarte.

Des présidents américains

Comment est-il possible que le 22e et 24e présidents américains aient les mêmes parents, mais ne soient pas frères ?

Un accident de voiture

Un père et son fils ont eu un accident de voiture. Tous les deux ont été grièvement blessés. Ils ont été emmenés par ambulance dans deux hôpitaux différents pour être opérés. Le fils était sur la table de chirurgie. Le docteur est entré dans le bloc opératoire et a dit : « Je ne peux pas l'opérer parce que c'est mon fils ». Comment est-ce possible ?

Un crash d'avion

Un avion s'écrase à la frontière entre l'Angleterre et l'Écosse.
Où sont enterrés les survivants ?

Un voleur intelligent

Un voleur intelligent est accusé de trahison contre la reine et il est condamné à mort. Cependant, la reine est indulgente et lui dit qu'il peut choisir sa propre façon de mourir. Que choisit-il ?

©Debbie Leadbetter
and Brilliant Publications Limited

Qui a tué Arnaud Boudiner ?

Un homme beau et riche appelé Arnaud Boudiner a été assassiné un samedi après-midi. Voici les déclarations des suspects.

La femme de chambre : « Au moment du meurtre, je nettoyais la salle de bains au rez-de-chaussée. »

Le cuisinier : « Au moment du meurtre, je cuisinais le petit déjeuner dans la cuisine. »

Le jardinier : « Au moment du meurtre, je plantais des fleurs dans le jardin. »

Le fils : « Au moment du meurtre, je nageais dans la piscine. »

La femme : « Au moment du meurtre, je lisais un roman dans ma chambre. »

Qui a tué Arnaud Boudiner ?

Un meurtrier

Un meurtrier est condamné à mort. Il doit choisir entre trois chambres. La première salle est pleine d'incendies qui font rage. La deuxième salle est pleine d'assassins avec des fusils chargés et la troisième salle est pleine de lions qui n'ont pas mangé depuis trois ans. Quelle salle est la plus sûre ?

Un homme a assassiné sa femme

Un homme a assassiné sa femme avec un coûteau dans une voiture. Personne ne l'a vu. L'homme a jeté sa femme hors de la voiture. Il n'a pas laissé d'empreintes digitales. Il a jeté le couteau d'une falaise dans une rivière où il ne sera jamais retrouvé. Après, il est retourné chez lui.

Une heure plus tard, la police a téléphoné à l'homme. La police lui a dit que sa femme a été assassinée et qu'il doit venir toute de suite sur les lieux du meurtre.

Dès son arrivée, il est arrêté. Comment la police savait-elle qu'il était le meurtrier ?

Un enterrement

Une femme était à l'enterrement de sa mère où elle a rencontré un homme. Elle était très intriguée par l'homme, mais quand elle est arrivée à la maison, elle s'est rendue compte qu'elle ne lui a pas demandé son nom ou son numéro de téléphone.

Une semaine plus tard, elle a assassiné son frère plus âgé pour trouver l'homme. Pourquoi ?

Le dentiste est coupable

Un homme arrive à la maison après le travail. En ouvrant la porte d'entrée, il entend sa fiancée crier « Non Luc ! Ne le fais pas ! » Et puis, il entend un coup de fusil. Il court dans le salon et voit sa fiancée morte étendue sur le sol. Trois personnes sont dans le salon. Une personne est agent de police, une personne est dentiste et l'autre personne est vétérinaire. L'homme n'avait jamais rencontré ces trois personnes avant, mais il sait que c'est le dentiste qui a tué sa fiancée. Comment le sait-il ?

Un meurtre au parc

Un homme a été retrouvé mort dans un parc. Il est mort d'un coup de feu à l'estomac. La police interroge un suspect qui dit qu'il est innocent. Cependant, il dit qu'il a vu ce qui s'est passé.
Le policier :   « Expliquez ce que vous avez vu. »
Le suspect :   « J'étais assis sur le banc, quand j'ai vu l'homme qui marchait le long du chemin. Tout à coup, un jeune homme a couru derrière lui et il lui tiré un coup de feu au ventre. J'ai eu tellement peur que j'ai couru chez moi aussi vite que j'ai pu. »
Le policier :   « Vous mentez. »

Comment le policier savait-il que le suspect avait menti ?

©Debbie Leadbetter
and Brilliant Publications Limited

Les problèmes logiques et latéraux **63**
This page may be photocopied by the purchasing insitution only.

Un meurtre dans les montagnes

Un mari et sa femme sont allés en vacances à la montagne afin de faire de l'escalade. Cependant, le mari est rentré seul à la maison. Il dit que sa femme a glissé et est tombée d'une montagne causant sa mort. Bien qu'il proteste que c'était un accident, le détective local, M. Policier, l'accuse du meurtre. Il dit : « J'ai parlé à l'agence de voyage, alors je sais que vous avez assassiné votre femme. »

Comment le détective sait-il que l'homme a assassiné sa femme ?

©Debbie Leadbetter
and Brilliant Publications Limited

Des cartes de Saint-Valentin

Quatre garçons ont envoyé une carte a une fille différente.

- Julien n'a pas envoyé de carte à Rachel.
- Simon a envoyé une carte à Charlotte ou à Hélène.
- Charlotte n'a pas reçu de carte de Phillip ou François.
- Ni Phillip ni François n'ont envoyé de carte à Ana.
- François n'a jamais envoyé de carte à Rachel.

Faites correspondre les garçons et les filles.

	Ana	Charlotte	Hélène	Rachel
François				
Julien				
Phillip				
Simon				

©Debbie Leadbetter
and Brilliant Publications Limited

Les problèmes logiques et latéraux **65**
This page may be photocopied by the purchasing insitution only.

Cinq couples

Cinq couples ont célébré la Saint-Valentin le 14 février. Chaque petite amie a reçu un cadeau et chaque couple est allé à un restaurant ethnique différent.

Déterminez les prénoms de chaque couple, le cadeau et le type de restaurant.

- Marc a envoyé des roses, mais il n'est pas allé au restaurant mexicain.

- David et Nicole n'aiment pas la cuisine chinoise.

- Esmé n'a reçu aucun parfum.

- Les quatre couples sont représentés par :
  Esmé, Luc, la petite amie qui a reçu des chocolats,
  le couple qui est allé au restaurant chinois et la
  fille qui a reçu un collier.

- La petite amie de Christian ne s'appelle pas Isabelle
  et il n'a pas envoyé de bracelet à sa petite amie.

- Le petit ami de Marie ne s'appelle pas Luc.

- Marie est allée au restaurant espagnol.

- Paul et sa petite amie sont allés au restaurant
  thaïlandais.

- Clara n'a pas reçu de roses.

- La petite amie qui a reçu le collier est allée au
  restaurant italien.

	Luc	Marc	Paul	David	Christian
Un restaurant thaïlandais					
Un restaurant mexicain					
Un restaurant italien					
Un restaurant chinois					
Un restaurant espagnol					
Des roses					
Un collier					
Du parfum					
Des chocolats					
Un bracelet					
Isabelle					
Marie					
Esmé					
Clara					
Nicole					

©Debbie Leadbetter
and Brilliant Publications Limited

Pâques

Une chasse aux œufs de Pâques

Quatre enfants étaient au parc pour une chasse aux œufs de Pâques. Après avoir trouvé un œuf, ils ont couru à la ligne d'arrivée. Quel enfant a trouvé quel œuf ? Quelle était la place de chaque enfant ? Quel était le prix dans chaque œuf ?

Les enfants : Henri, Jules, Lola, Marie
Les œufs : Bleu, rouge, vert, jaune
Les prix : Chocolats, jujubes, une pièce d'or et des mini-œufs.

- Il y avait quatre enfants : Henri, l'enfant qui a trouvé l'œuf rouge, l'enfant qui a fini en quatrième position et l'enfant qui a trouvé la pièce d'or.
- Lola n'a pas trouvé les mini-œufs dans son œuf.
- L'enfant à la deuxième place a trouvé les chocolats dans son œuf.
- Lola n'a pas trouvé l'œuf rouge.
- Marie n'a pas trouvé l'œuf rouge.
- L'enfant qui a gagné, a trouvé l'œuf vert.
- L'enfant qui a trouvé l'œuf rouge n'a pas fini la chasse en troisième position.
- Lola n'a pas trouvé la pièce d'or.
- L'enfant qui a trouvé l'œuf bleu n'a pas trouvé les jujubes dans son œuf.
- L'enfant qui a gagné n'a pas trouvé les mini-œufs dans son œuf.

	Henri	Jules	Lola	Marie
Quatrième				
Troisième				
Deuxième				
Premier				
Les mini-œufs				
La pièce d'or				
Les jujubes				
Les chocolats				
L'œuf jaune				
L'œuf vert				
L'œuf rouge				
L'œuf bleu				

©Debbie Leadbetter
and Brilliant Publications Limited

Sudoku – Pâques

Un œuf de Pâques			Le printemps			Le chocolat		Un agneau
	Le chocolat			Un agneau	Un poussin		Un bonnet	
Un bonnet		Un agneau		Le chocolat		Le printemps		
	Un œuf de Pâques	Un lapin		Une jonquille		Un bonnet		Le chocolat
Un agneau			Le chocolat		Un lapin		Un œuf de Pâques	Une jonquille
	Une jonquille		Un bonnet		Le printemps	Un poussin		
Le chocolat	Un agneau				Un œuf de Pâques		Un poussin	Un panier
	Un panier		Un agneau	Un bonnet			Une jonquille	Le printemps
Une jonquille		Un œuf de Pâques	Un poussin		Un panier		Le chocolat	

Les problèmes logiques et latéraux

Pâques

Des œufs en chocolat

Madame Richard a quatre enfants et elle les a aidés à peindre des œufs de Pâques.

- Thomas n'est pas l'enfant le plus âgé. La couleur préférée de son frère est rouge.
- Sophie aime une couleur qui commence par la lettre B.
- Une fille a deux ans. Elle aime la couleur violette.
- Le garçon qui a peint un œuf rouge a quatre ans.

	Rouge	Bleu	Vert	Violet	2	4	7	9
Sophie								
Ana								
Jules								
Thomas								

©Debbie Leadbetter
and Brilliant Publications Limited

Les problèmes logiques et latéraux **69**
This page may be photocopied by the purchasing insitution only.

Qui a trouvé un œuf d'or ?

- Madame Laurent a emmené son enfant et Léa à la chasse.

- Gabriel Lefèvre a gagné.

- L'enfant dont le nom de famille est Laurent était le deuxième gagnant.

- Luna et Gabriel n'ont pas trouvé ses œufs sous le toboggan.

- L'enfant qui a trouvé un œuf d'or a coté du Sycomore était le troisième gagnant.

- Jules et Théo n'ont pas trouvé ses œufs à côté d'un arbre.

- Théo n'a pas le nom Roux. Il a trouvé le cinquième œuf.

- Le gagnant a trouvé un œuf sous le toboggan.

- L'enfant en deuxième place s'appelle Jules, mais son nom de famille n'est pas Roux.

- La fille avec le nom de famille Mercier a trouvé le quatrième œuf.

- Le garçon avec le nom de famille Martinez a trouvé le cinquième œuf.

- Un garçon a trouvé un œuf sous un banc, mais il ne s'appelle pas Théo.

- Monsieur Mercier (le père de Luna), regardait sa fille du banc où Gabriel a trouvé un œuf.

- La fille en troisième place a le nom de famille Roux. Elle n'a pas trouvé son œuf sous une table.

- La fille en quatrième place a trouvé un œuf sous une table.

- Théo a trouvé un œuf dans un buisson.

Le prénom	Laurent	Leferve	Roux	Mercier	Marinez	1ème	2ème	3ème	4ème	5ème	Toboggan	Banc	Sycomore	Table	Buisson
Jules															
Gabriel															
Léa															
Luna															
Théo															

©Debbie Leadbetter
and Brilliant Publications Limited

Sudoku – Vive la Révolution !

	La Bastille		L'égalité			Louis XVI		La fraternité
Paris	L'égalité	La prison	Le quatorze juillet					
	La fraternité					L'égalité		La prison
	Le quatorze juillet			Paris	La Révolution	La liberté	L'égalité	Louis XVI
	La liberté			La fraternité				
La prison	La Révolution	L'égalité	La Bastille	La liberté		Le quatorze juillet		
L'égalité		La Bastille	La fraternité				La Révolution	
	Louis XVI			La Bastille	Le prison	Paris	La liberté	L'égalité
La Révolution		La liberté			Le quatorze juillet		Louis XVI	

©Debbie Leadbetter
and Brilliant Publications Limited

Les problèmes logiques et latéraux

Au palais de Versailles

Cinq personnes bien connues pendant la Révolution française ont déjeuné au palais de Versailles pour célébrer le mariage de Louis XVI et Marie-Antoinette. Qui a mangé quel plat principal et quel dessert ? Qui a bu quelle boisson ?

- Jacques Necker n'aime pas manger de fruits ni boire de boissons qui sont faites avec des fruits.
- Le marquis de La Fayette n'aime pas la viande.
- Louis XVI adore la viande blanche et le chocolat.
- Marie-Antoinette adore les boissons qui ont des bulles.
- Maximilien Robespierre adore la viande qu'on mange le jour de Noël.
- Marie-Antoinette et le marquis de La Fayette aiment les tartes, mais Marie-Antoinette n'aime pas les cerises.
- Jacques Necker adore la viande rouge. Il n'aime pas l'agneau.
- Jacques n'aime pas les desserts. Il préfère la nourriture salée.
- Maximilien Robespierre a bu une boisson qui commence par la lettre C.
- Louis XVI aime le vin, et son préféré est le vin rouge.

	Le poulet	La dinde	L'agneau	Le bœuf	Le poisson	La mousse au chocolat	La tarte aux pommes	La tarte aux cerises	Le fromage	Les raisins	Le vin blanc	Le vin rouge	Le champagne	La bière	Le cognac
Louis XVI															
Marie-Antoinette															
Jacques Necker															
Maximilien Robespierre															
Marquis de La Fayette															

Le soir d'Halloween

Luc, Alex et Jean se sont préparés pour sortir le soir d'Halloween. Ils ont décidé que chaque garçon porterait un déguisement différent. Ils ont choisi les bonbons qu'ils aiment le plus, afin qu'ils puissent les échanger plus tard.

- Le garçon qui aime le plus le chocolat ne s'est pas déguisé en vampire.
- Le type de bonbon favori d'Alex ne tient pas sur un bâton.
- Jean qui n'aime pas le chocolat, a porté un déguisement de momie.
- Luc préfère les pastilles.

	Un fantôme	Une momie	Un vampire	Le chocolat	Les pastilles	Les sucettes
Luc						
Alex						
Jean						
Le chocolat						
Les pastilles						
Les sucettes						

©Debbie Leadbetter
and Brilliant Publications Limited

Les problèmes logiques et latéraux **73**
This page may be photocopied by the purchasing insitution only.

Des bonbons ou un sort

Richard et ses quatre amis se sont mis au défi de porter le déguisement le plus effrayant pour le soir d'Halloween. Ils se sont rencontrés au cimetière.

Déterminez le nom complet de chaque garçon, quel déguisement et l'ordre dans lequel ils ont été placés pour leur déguisement.

- Le déguisement de Stephan était le plus effrayant. Il a gagné la première place, mais il n'était pas le fantôme.

- Louis Dubois n'était pas le loup garou ni le fantôme.

- Le vampire a gagné la troisième place.

- Richard Dior ne portait pas le déguisement de fantôme.

- Leclerc portait le déguisement de monstre. Ce déguisement a été élu le meilleur.

- Le nom de famille de Michel n'est ni Thomas ni Leclerc.

- Le garçon, dont le nom de famille est Jardinier, a porté un déguisement meilleur que le déguisement de loup-garou, mais a fini deux places plus bas que le déguisement Richard. Richard a gagné la deuxième place.

- Antoine ne portait pas de déguisement de fantôme. Antoine est arrivé à la dernière place.

- Le squelette n'a pas gagné la première place, ni la deuxième place.

- Le garçon dont le nom de famille est Thomas portait un déguisement de loup-garou.

	Stephan	Louis	Antoine	Michel	Richard
5ème					
4ème					
3ème					
2ème					
1ère					
Le monstre					
Le loup-garou					
Le vampire					
Le squelette					
Le fantôme					
Leclerc					
Dubois					
Dior					
Thomas					
Jardinier					

Halloween

Sudoku – Halloween

Un fantôme		Un squelette		Une citrouille		Un monstre		Un diable
	Une chauve-souris			Un diable			Un chat noir	
			Un monstre		Un squelette			
		Une citrouille			Une sorcière		Un monstre	
		Un diable	Une citrouille	Une chauve-souris		Un chat noir		
	Une sorcière		Un squelette			Une citrouille		
			Une momie		Un fantôme			
	Un squelette			Une sorcière			Une momie	
Une momie		Une sorcière		Un monstre		Une chauve-souris		Un squelette

©Debbie Leadbetter
and Brilliant Publications Limited

Les problèmes logiques et latéraux

La famille Fantôme

La maison de la famille Fantôme à Spectreville sera au complet le 31 octobre. Les cinq filles, leurs maris et leurs enfants arriveront pour célébrer Halloween. Chaque couple, y compris Monsieur et Madame Effrayant, viendra de différentes villes.

Déterminez le nom complet de chaque couple, la ville dans laquelle ils vivent et le nombre d'enfants qu'ils ont.

- Les cinq filles de Monsieur and Madame Fantôme sont Francesca, la fille qui a un mari qui s'appelle Alfred, Madame Squelette, la fille qui habite à Citrouilleville et la fille qui a cinq enfants.

- Madame Squelette, qui n'est pas Fiona, et sa famille n'habitent pas à Ghoulville.

- Félicie et son mari Déon ne s'appellent pas Monsieur et Madame Os.

- La fille qui est mariée à Joseph a un enfant de plus que Madame Monstre et son mari.

- Monsieur et Madame Monstre n'ont pas quatre enfants.

- Frida et son mari, qui s'appelle Kevin, ont un fils unique.

- Monsieur et Madame Os ont un enfant de plus que le couple qui habite à Cimetièreville.

- Monsieur et Madame Sorcière ont un enfant de plus que le couple qui habite à Cercueilville.

- Freyja n'est pas Madame Monstre.

- La fille qui est mariée à Alfred, n'est pas la fille qui a deux enfants.

- Freyja n'est pas mariée à Joseph.

- Francesca n'est pas mariée à Joseph, mais Joseph a trois enfants.

- Monsieur et Madame Squelette qui habitent à Enferville ont un enfant.

- Francesca Monstre n'habite pas à Cercueilville ni à Ghoulville.

- Madame Effrayant a quatre enfants.

- Monsieur et Madame Os habitent à Citrouilleville.

- Cinq enfants habitent dans une maison à Ghoulville.

©Debbie Leadbetter
and Brilliant Publications Limited

La famille Fantôme

		Les filles				
		Félicie	Freyja	Fiona	Francesca	Frida
Alfred						
Déon						
Felipe						
Joseph						
Kevin						
Effrayant						
Os						
Monstre						
Fantôme						
Squelette						
Cercueilville						
Cimetièreville						
Citrouilleville						
Enferville						
Ghoulville						
un						
deux						
trois						
quatre						
cinq						

©Debbie Leadbetter
and Brilliant Publications Limited

Les problèmes logiques et latéraux **77**

Les rennes

Pouvez-vous déterminer l'ordre dans lequel les rennes vont tirer le traîneau du Père Noël ?

- Comète sera derrière Rudolph, Furie et Cupidon.

- Éclair sera derrière Cupidon, mais devant Tonnerre, Fringant et Danseur.

- Cupidon sera devant Comète, Éclair et Fringant.

- Tonnerre sera derrière Fringant, Tornade et Furie.

- Rudolph sera derrière Furie mais devant Tonnerre, Danseur et Tornade.

- Fringant sera devant Danseur et Comète.

- Danseur sera derrière Tonnerre, Rudolph et Éclair.

- Furie sera devant Cupidon, Tonnerre et Éclair.

- Tornade sera derrière Furie, mais devant Fringant, Danseur et Éclair.

- Tonnerre sera derrière Comète et Cupidon.

- Cupidon sera devant Rudolph et Danseur.

- Fringant sera derrière Rudolph, Furie et Tornade.

Qui recevra quel cadeau ?

- Fabien ne recevra pas la cravate à moins que Patrice ne reçoive les chaussettes.

- Fabien ne recevra pas le pull à moins que Vincent ne reçoive la cravate.

- Fabien ne recevra pas les chaussettes à moins que Patrice ne reçoive le pull.

- Vincent ne recevra pas la cravate à moins que Fabien ne reçoive les chaussettes.

	Les chaussettes	La cravate	Le pull
Fabien			
Patrice			
Vincent			

©Debbie Leadbetter
and Brilliant Publications Limited

Noël

Sudoku – Noël

Un ange		Un renne					Une fée	Le bébé Jésus
	Les Rois Mages							
Le Père Noël				Une fée	Un renne			Un bon-homme de neige
					Les Rois Mages			Un homme en pain d'épice
Les Rois Mages								
Un homme en pain d'épice	Un renne		Un lutin					
Un bon-homme de neige		Les Rois Mages	Un homme en pain d'épice	Un renne		Le bébé Jésus		Le Père Noël
		Le Père Noël						
Le bébé Jésus				Les Rois Mages		Un renne		Un ange

Un concert de chants de Noël

Il y avait un concert de chants de Noël à l'église locale. Quatre chanteurs ont chanté en solo dans quatre chansons différentes. Déterminez le nom complet de chaque soliste, et le nom du chant de Noël dans lequel chaque personne a chanté en solo et dans quelle section de la chorale se trouvait chacun.

- Les chanteuses ne peuvent pas être chanteuses de ténor.

- Les chanteurs ne peuvent pas être chanteurs de soprano.

- Silvana Bonnet n'a pas chanté la partie solo de « Douce Nuit ».

- Benoit n'a pas chanté la partie solo de « Minuit Chrétien ».

- La soprano n'était pas Madame Chevalier.

- Monsieur Eusses n'a pas chanté la partie solo de « Joie pour le Monde ».

- Le ténor a chanté seul pendant le Cantique de Noël.

- Belle faisait partie de la section alto.

- Le chanteur de basse n'était pas Théron.

- Le chanteur de basse n'a pas chanté la partie solo de « Douce Nuit ».

- Benoit a chanté la partie solo de « Joie pour le Monde ».

	Belle	Benoit	Silvana	Théron
Minuit Chrétien				
Joie pour le monde				
Douce Nuit				
Cantique de Noël				
Ténor				
Soprano				
Basse				
Alto				
Denis				
Eusses				
Chevalier				
Bonnet				

©Debbie Leadbetter
and Brilliant Publications Limited

Noël

Cinq traîneaux

Le Père Noël a envoyé cinq de ses rennes dans cinq pays différents. Chaque renne tire un traîneau de couleur différente.

- Comète est allé en France.

- Un renne est allé en Allemagne.

- Fringant est allé en Grèce.

- Le traîneau jaune a été tiré par Danseur, mais un autre renne est allé en Espagne.

- Le traîneau vert a été tiré par Furie.

- Le traîneau rouge a été tiré par Rudolph.

- Le traîneau vert est allé en Angleterre.

- Le traîneau violet est allé dans un autre pays.

- Le traîneau bleu n'est pas allé en France.

Dans quel pays est allé chaque renne et quel traîneau a été tiré par quel renne ?

	Rouge	Jaune	Vert	Bleu	Violet	Angleterre	France	Allemagne	Grèce	Espagne
Rudolph										
Danseur										
Comète										
Fringant										
Furie										

Les réponses rapides

Qui suis-je? (Page 6)

1. Une aiguille
2. Un timbre
3. Aucun – Noah était sur l'arche, pas Moïse !
4. Une horloge/une montre
5. Tous
6. Il vit (il n'est pas mort)
7. Un gant
8. Un œuf
9. Un cheval
10. Ton nom
11. Ton âge
12. Un escargot
13. Le silence
14. Incorrectement
15. Et
16. Calle
17. Le charbon de bois
18. Une chemise
19. Le feu
20. Le temps
21. Un souvenir
22. Une éponge
23. Pions
24. Les ongles
25. Un vert

Les sports

Une course de vélo (Page 7)

Position	Prénom	Numéro	Couleur
1	Jacques	2	Rouge
2	Léon	3	Jaune
3	Karl	1	Vert
4	André	4	Bleu

La pêche (Page 7)

Il n'y a que trois personnes : un grand-père, son fils et son petit-fils.

Les exploits sportifs (Page 8)

Le prénom de la mère	Le nom de famille	Le prénom du fils	Le sport	L'âge du fils
Béatrice	Barre	Albert	rugby	10
Sonia	Samuel	Fabien	volley	12
Émilie	Olivier	Henri	foot	16
Sandrine	Duvel	Luc	tennis	14

Jeu, set et match ! (Page 8)

C'était un match de doubles dames.

Un spectacle équestre (Page 9)

Le prénom de la fille	La place	Le nom de cheval
Avaline	Deuxième	Chanterelle
Abella	Troisième	Mystique
Ana	Premier	Charia

Un événement sportif (Page 9)

Prénom	Le baseball	Le foot	Le tennis	Le volley	Rouge	Bleu	Noir	Vert
Michel	✔							✔
Alex		✔					✔	
Simon			✔		✔			
Arthur				✔		✔		

Cinq olympiens (Page 10)

	L'équitation	La gymnastique	Le hockey	Le volley	La natation	Belleville	Jeanville	Louiseville	Lucville	Simonville
Belle				✔			✔			
Jean	✔							✔		
Louise			✔							✔
Luc		✔					✔			
Simon					✔				✔	

La nourriture

Des Pizzas (Page 11)

Prénom	Garniture 1	Garniture 2	Garniture 3
Angéle	La saucisse	Le poivron vert	Les olives
Béatrice	Les champignons	Le poivron vert	Les oignons
Chloé	La saucisse	Les champignons	Les oignons
Délia	Le peppéroni	Le poivron vert	Le poulet
Elena	Le peppéroni	La saucisse	Le poulet

Des tablettes de chocolat (Page 12)

	12	13	14	15	L'église	Le parc	Le collège	Les voisins
André		✔				✔		
Louise				✔			✔	
Nathan			✔		✔			
Sabine	✔							✔

Un panier de pommes (Page 12)

Chaque enfant reçoit une pomme. Le cinquième enfant reçoit le panier qui contient la pomme.

Le déjeuner (Page 13)

	Une pomme	Une orange	Des raisins	Une banane
Camille		✔		
Maria				✔
Théo	✔			
Enzo			✔	

Des tartes délicieuses (Page 13)

	Crème au chocolat	Crème à la banane	Pommes	Cassis	Noix de pécan
Jules			✔		
Daniel	✔				
Noé					✔
Léa		✔			
Inès				✔	

Un pique-nique (Page 14)

Le prénom	La boisson	L'arôme
Arnaud	L'eau	Citron vert
David	Le soda	Vanilla
Éloïse	Le jus	Fraise
Hélène	Le thé	Citron

À la cantine (Page 15)

Le jour	La soupe	Le plat principal	Le dessert
Lundi	la soupe à l'oignon	le cassoulet de porc	la glace au chocolat
Mardi	la soupe à la tomate	la spaghettis à la bolognaise	la tarte aux pommes
Mercredi	la soupe aux champignons	le poulet rôti	la tarte aux cerises
Jeudi	la soupe au poulet	le ragoût de dinde	la crêpes au chocolat
Vendredi	la soupe à la carotte	le steak-frites	les mousse au chocolat

Les problèmes logiques et latéraux

Au bar-snack (Page 16)

	Le pain					La garniture					La boisson					La taille				
	Le complet	La tomate	L'oignon	Le sésame	Le blé	La saucisse	Le fromage	Le jambon	La salade	Le poulet	Le café au lait	L'Orangina	Le coca	La limonade	Le thé	Petit	Petit	Moyen	Moyen	Grand
Benoit		✔						✔			✔					✔				
Damien			✔				✔					✔								✔
Luc				✔		✔							✔					✔		
Alain					✔					✔				✔					✔	
Robert	✔								✔						✔		✔			

Les transports

Des navires pirates (Page 17)

	Rouge	Bleu foncé	Vert	Jaune	Noir	L'argent	Les perles	L'or	La carte au trésor	Le bronze
Jacques					✔	✔				
Barbe-Verte		✔					✔			
Gwendoline			✔							✔
Barbe-Noire	✔							✔		
Barbe-Bleue				✔					✔	

Un chauffeur de bus (Page 17)

Il marchait.

Les moyens de transport (Page 18)

	La voiture	La moto	Le bateau	Bleu	Orange	Vert
Clara		✔			✔	
Daniella	✔					✔
Fred			✔	✔		
Bleu			✔			
Orange		✔				
Vert	✔					

Les problèmes logiques et latéraux

Un homme et sa voiture (Page 18)

Il jouait au Monopoly.

À Londres (Page 19)

Le prénom	L'heure	Le moyen de transport
Samuel	08h00	Le taxi
Thomas	Midi	La voiture
Rosie	07h00	L'hélicoptère
Candice	10h00	L'autocar
Alaina	09h00	Le train

Un petit bateau à rames (Page 19)

L'homme et la poule traversent la rivière (le renard et le maïs sont très bien ensemble). Il laisse la poule sur l'autre côté de la rive et remonte la rivière. L'homme prend alors le renard et traverse la rivière, mais comme il ne peut pas quitter le renard et la poule ensemble, il apporte la poule.

Encore une fois, comme la poule et le maïs ne peuvent pas être laissés ensemble, il dépose la poule et il prend le maïs qu'il laisse avec le renard. Il revient ensuite pour ramasser la poule et traverse la rivière une dernière fois.

Une course à travers la capitale (Page 20)

	Deniau	Levet	Chevalier	Beaufort	Lacroix	À pied	En autobus	En voiture	À vélo	En métro	20 minutes	25 minutes	30 minutes	35 minutes	40 minutes
Marc				✔			✔					✔			
Luca		✔			✔								✔		
Matthieu			✔						✔	✔					
Benjamin	✔							✔							✔
Laurence					✔				✔					✔	

Les usagers des transports en commun (Page 21)

	Cloche	Soulier	Olivier	Valentin	Baudet	L'avocat	Le comptable	Le médecin	Le professeur	L'informaticien	La ligne bleue	La ligne verte	La ligne noire	La ligne rouge	La ligne jaune	7h00	7h15	7h30	7h45	8h00
Léon			✔				✔					✔							✔	
Éloïse	✔							✔			✔							✔		
Giselle				✔		✔									✔		✔			
Rosamonde		✔							✔					✔						✔
Louis					✔					✔			✔			✔				

Une nouvelle voiture (Page 22)

	Abel	Chapel	Gaultier	Sylvain	Thomas	BMW	Citroën	Mercedes	Peugeot	Renault	Blanc	Bleu	Noir	Rouge	Violet
Simon			✔				✔					✔			
Luc					✔					✔	✔				
Damien		✔				✔								✔	
Francine				✔					✔				✔		
Isabel	✔							✔							✔

Un pneu crevé (Page 22)

Le pneu crevé était sa roue de secours dans le coffre de sa voiture.

Le collège

Un élève préféré (Page 23)

	Matthieu	Robert	Guillaume	30	35	40
M. Thomas			✔		✔	
M. Daronne		✔				✔
M. Fontaine	✔			✔		

Les études (Page 23)

maximum 75%

Les professeurs (Page 24)

Alex Allemand	maths + chimie
Stéphane Écrivain	allemand + chimie
Jean Peinture	allemand + histoire
Luc Anglais	allemand + histoire

Des étudiants talentueux (Page 25)

	La clarinette	La flute	La guitare	Le piano	La trompette	Le badminton	L'équitation	Le judo	La natation	Le tennis
Julia		✔							✔	
James					✔		✔			
Jacques				✔	✔					
Jean			✔				✔			
Joséphine	✔									✔

Les sciences et la nature

Cinq nouvelles planètes (Page 26)

	Arzo	Barzo	Farzo	Sarzo	Marzo	Lundi	Mardi	Mercredi	Jeudi	Vendredi
Rafaël				✔		✔				
Albert		✔							✔	
Émilie	✔						✔			
Dior					✔					✔
Hugo			✔					✔		

Le mont Everest (Page 26)

Le mont Everest était encore la plus haute montagne avant même qu'il ait été découvert.

Une promenade le dimanche matin (Page 27)

L'homme	La femme	Le nom famille du couple	L'animal	L'oiseau
Alphonse	Dana	Aubin	Un écureuil roux	Un pic vert
Bruno	Abbie	Bosson	Un cerf	Une buse
Daniel	Colette	Devereux	Un lièvre	Un faucon
Sean	Nicoline	Garreau	Un poney	Un faisan
Henri	Rochelle	Chapel	Un crapaud	Un rouge-gorge

Des fleurs (Page 28)

	Roses	Marguerites	Fleurs de lys	Tulipes	Glaïeuls	Blanc	Jaune	Orange	Rouge	Violette	L'anniversaire	Le bureau	Le jardin	Le mariage	Le parc
Aimée			✔			✔								✔	
Bella		✔								✔	✔				
Caron	✔								✔						✔
Rochelle				✔				✔				✔			
Serrée					✔		✔						✔		
Lundi					✔		✔						✔		
Mardi						✔		✔				✔			
Mercredi		✔								✔	✔				
Jeudi	✔								✔						✔
Vendredi			✔		✔									✔	

Une promenade dans les bois (Page 29)

Le prénom	Baptise	Chardonnet	Deneuve	Gaultier	Gérard	Le cerf	Le faisan	La grenouille	Le renard	Le rouge-gorge
Guillaume			✔				✔			
Jean-Luc	✔							✔		
Léo		✔				✔				
Émilie					✔					✔
Carole				✔					✔	

Un concours scientifique (Page 30)

	Un arc-en-ciel	L'électricité statique	L'encre invisible	Des haut-parleurs	Un parachute	Une tornade	Un volcan	1	2	3	4	5	6	7
Eliot					✔							✔		
Léo						✔					✔			
Pierre							✔						✔	
Lucien		✔							✔					
Corbin	✔									✔				
Kaci			✔					✔						
Dahlia				✔										✔

	Une cascade	Une fontaine	Un étang	Une horloge à l'eau	Un puits à souhaits
Des papillons solaires			✓		
Des fées solaires	✓				
Un hérisson en pierre					✓
Une tortue en bronze				✓	
Un gnome		✓			
Des pensées				✓	
Des pétunias		✓			
Des hyacinthes	✓				
Des primevères			✓		
Des pivoines					✓
Des poireaux					✓
Des petits pois				✓	
Des tomates	✓				
Des radis			✓		
Des épinards		✓			
Un bouleau d'Europe			✓		
Un cerisier					✓
Un pommier				✓	
Un châtaigner	✓				
Un hêtre commun		✓			

	Herbert	Guérin	Poulin	Augustin	Larue	Des violettes	Des jonquilles	Des pensées	Des glaïeuls	Des primevères	Le lundi	Le mardi	Le mercredi	Le jeudi	Le vendredi
Mélissa	✔						✔							✔	
Zoé			✔							✔	✔				
Justine					✔			✔							✔
Elisa		✔							✔			✔			
Maëva				✔		✔							✔		
Des violettes				✔		✔							✔		
Des jonquilles					✔		✔							✔	
Des pensées	✔							✔							✔
Des glaïeuls		✔							✔			✔			
Des primevères			✔							✔	✔				
Le lundi			✔							✔	✔				
Le mardi		✔							✔			✔			
Le mercredi				✔		✔							✔		
Le jeudi	✔						✔							✔	
Le vendredi					✔			✔							✔

Les problèmes logiques et latéraux

Le travail

Quel métier ? (Page 35)

	Le boucher	Le coiffeur	Le pompier	Le vétérinaire	La chemise bleue	La chemise cerise	La chemise de couleur pêche	La chemise violette
Monsieur Boucher				✔			✔	
Monsieur Coiffeur	✔							✔
Monsieur Pompier		✔			✔			
Monsieur Vétérinaire			✔			✔		

Les emplois (Page 36)

Monsieur Bernard – agent de police – jeudi
Monsieur Dubois – infirmier – dimanche
Monsieur Martin – pompier – lundi

Dans une usine de fruits (Page 36)

Prenez un fruit de la boîte contenant les pommes et les oranges. Si le fruit est une pomme, vous savez que ceci est la boîte de pommes parce que toutes les boîtes sont étiquetées incorrectement. Cela signifie que la boîte qui est étiquetée 'les pommes' doit contenir les oranges et la boîte qui est étiqueté 'les oranges' doit contenir les pommes et les oranges.

Des nouveaux emplois (Page 37)

Le prénom	Le nom de famille	L'entreprise	L'emploi	1er jour de travail
Céline	Gouin	Bellique	La photographe	Le jeudi
Stephan	Benedict	Fashionista	Le comptable	Le vendredi
Philipe	Renault	Bonita	Le créateur de mode	Le mardi
Maurice	Dupont	Le Chic	Le mannequin	Le lundi
Sabine	Germain	Modique	La directrice du marketing	Le mercredi

Dans l'avenir (Page 38)

	Abel	Bourdier	Brice	Fortier	Matisse	L'Angleterre	L'Écosse	La France	L'Irlande	Le pays de Galles	Un chauffeur	Un médecin	Un pompier	Un professeur	Un vétérinaire
Thomas				✔						✔					✔
Olivier	✔							✔						✔	
Samuel					✔	✔						✔			
Robert			✔						✔		✔				
Louis		✔					✔						✔		

Les vacances et les excursions

En vacances (Page 39)

Homme	Femme	Nom de famille	Activités	Souvenirs
Luc	Amélie	Bernard	le tourisme	le dauphin en bois
Alex	Nadia	Armand	la plongée	maquette de bateau en bois
Simon	Rachel	Faille	le golf	les chemises
Thierry	Maribel	Brice	la randonnée	les cartes postales
Pascal	Pippa	Damas	le surf	les bonbons

Les choses oubliées (Page 40)

	Le chapeau	Les lunettes de soleil	Le maillot de bain	La montre	Le sac à main	Blanc	Bleu	Orange	Rose	Violet
Lisa		✔								✔
Ronda			✔				✔			
Aimée	✔								✔	
Bella					✔	✔				
Rochelle				✔				✔		

A l'arrêt d'autobus. (Page 40)

La vieille dame. Après avoir aidé la vieille dame à monter dans la voiture, donnes les clés de la voiture à ton ami pour conduire, et puis tu attends avec ton/ta partenaire parfait(e) à l'arrêt de bus !

Des excursions d'été préférées (Page 41)

Le prénom	Abel	Babin	Favier	Thomas	Le parc d'attractions	La plage	Le théâtre	Le zoo	Bordeaux	Douvres	Londres	Paris
Noah				✔			✔					✔
Camille			✔			✔				✔		
Clément	✔				✔				✔			
Eva		✔						✔			✔	

Au bal (Page 42)

	Léo	Hugo	Adam	Gabriel
Adèle			✔	
Juliette				✔
Zoé	✔			
Mila		✔		

Au zoo (Page 42)

	Les éléphants	Les kangourous	Les lions	Les singes	Les ours polaires	Noir	Violet	Rouge	Blanc	Jaune
Aurélie	✔									✔
Christophe			✔				✔			
Marley				✔				✔		
Paul					✔				✔	
Simon		✔				✔				

À l'agence de voyage (Page 43)

	Le Tunnel sous la Manche + la voiture	Le train	Le bateau	La voiture	L'avion	La randonnée	L'escalade	Le shopping	Le ski	La natation	L'Écosse	La France	L'Italie	La Suisse	La Grèce
Chloé				✔					✔					✔	
Fleur					✔					✔					✔
Landry		✔					✔					✔			
Rosa			✔					✔					✔		
Solène	✔					✔					✔				

Les vêtements

Des robes (Page 44)

Le nom	La robe	Les cheveux
Juliette	Rouge	Roux
Lucie	Jaune	Blonds
Lola	Verte	Noirs
Clara	Bleue	Bruns

Cinquante-trois chaussettes (Page 44)

Quarante chaussettes – S'il prend trente-huit chaussettes, bien que très improbable, il est possible qu'elles puissent toutes être bleues et rouges : il doit donc prendre deux chaussettes supplémentaires.

L'achat de chaussures (Page 45)

	Fièvre	Panier	Laurier	Chevalier	Les bottes	Les talons aiguilles	Les sandales	Les baskets	Noir	Marron	Violet	Bleu
Lola			✔		✔					✔		
Béatrice				✔			✔				✔	
Nicole	✔					✔			✔			
Sandra		✔						✔				✔

Combien de combinaisons ? (Page 45)

12.

Le pull	Le pantalon
un pull bleu clair	un pantalon bleu foncé
un pull rouge	un pantalon noir
un pull vert	un pantalon gris
un pull violet	

Le magasin de chapeaux (Page 46)

Le prénom	Albert	Belmont	Blanchette	Dufort	Étienne	Le béret	La casquette	Le gatsby	Le chapeau laineaux	Le trilby	bleu	marron	gris	noir	rouge
George					✔		✔				✔				
Oliver	✔									✔		✔			
Claude				✔					✔			✔			
Derek			✔			✔									✔
Martin		✔						✔						✔	

Les animaux

Un animalerie (Page 47)

	Un renne	Un serpent de mer	Un lamantin	Un dragon
Daniel	✔			
Robert			✔	
Lola		✔		
Sonia				✔

Nous avons acheté un animal domestique (Page 47)

	Chat	Chien	Singe	Serpent	Saber	Sacha	Talbot	Wiatt
Bernard			✔				✔	
Julie		✔				✔		
Raoul	✔				✔			
Isabel				✔				✔

Des singes (Page 48)

Les singes	Le fruit	Le lieu
Alexia	L'orange	Le ruisseau
Kalia	La pomme	Le rocher
Arturo	La banane	L'arbre
Francis	La poire	L'herbe

Un escargot (Page 48)

Il atteindra le toit au huitième jour.

Le septième jour, il sera sept mètres au-dessus de la terre (à trois mètres du toit). Le huitième jour, il va monter trois mètres, et atteindra le toit.

©Debbie Leadbetter
and Brilliant Publications Limited

Le coût des animaux (Page 49)

	Le lapin	Le cacatoès	Le serpent	£100	£50	£25
Frédéric			✔	✔		
Ana	✔				✔	
Sébastien		✔				✔

Combien de chats ? (Page 49)

Trois chats.

Des peluches (Page 50)

	Un âne	Une grenouille	Un lion	Un nounours	Un singe	1 an	2 ans	3 ans	4 ans	5 ans	Le lit	L'étagère	La commode	La chaise	La table
Nive		✔								✔					✔
Bale			✔						✔				✔		
Rémi				✔				✔						✔	
Dante	✔					✔					✔				
Mathis					✔		✔					✔			

La famille

Une réunion de famille (Page 51)

	Giraud	Dupont	Carré	Auclair	Le cousin	Le grand-père	Le neveu	L'oncle	L'anniversaire	Le Noël	Le spectacle scolaire	Le jour à la plage
Henri			✔			✔			✔			
Oliver	✔						✔					✔
Paul		✔						✔		✔		
Adrian				✔	✔						✔	

La famille de M. Dubois (Page 51)

Monsieur Dubois a cinq enfants. Les filles ont le même frère.

Les petits-enfants (Page 52)

Le prénom	Le mois	La date	L'année
Thierri	Mars	2	1997
Marniez	Avril	18	2000
Aurèlie	Mai	27	2004
Iain	Juin	27	2004

Les enfants de Monsieur et Madame Chanel (Page 53)

	6	8	9	10	12	La danse	L'équitation	La natation	Le rugby	La télévision
Alex				✔			✔			
Aveline	✔							✔		
Colette		✔				✔				
Henri			✔							✔
Jacques					✔				✔	

Les frères et sœurs de Robert (Page 53)

Quatre garçons et trois filles.

Une photo de famille (Page 54)

Chaque membre de la famille est assigné un nombre afin de montrer quand une personne est
la même personne : le grand-père : 1, la grand-mère : 2, les pères : 1 et 3, les mères : 2 et 4, les
enfants : 3, 5, 6, 7, les petits-enfants : 5, 6, 7, les fils : 3, 7, les filles : 5, 6, les sœurs : 5, 6, le beau-père :
1, la belle-mère : 2, la belle-sœur : 4
Sept personnes au total.

Les trois filles (Page 54)

Mélodie.

Qui est sur la photo ? (Page 54)

Son fils.

En ville _____

À la confiserie (Page 55)

	Premier	Deuxième	Troisième	Quatrième	Cinquième
Timeo					✔
Lucie	✔				
Nina		✔			
Ethan				✔	
Eva			✔		

Cent édifices (Page 55)

Vingt – 9, 19, 29, 39, 49, 59, 69, 79, 89, 90, 91, 92, 93, 94, 95, 96, 97, 98, 99 (2 x 9 en 99).

Une pièce sombre (Page 55)

Une allumette.

On a fait du shopping (Page 56)

Le prénom	Une écharpe à fleurs	Un livre sur Monet	Du parfum	Des gants	Des chaussures	Le Printemps	Le Bon Marché	La Hune	Galeries Lafayette	BHV Marais
Charlotte			✔						✔	
Eloïse				✔		✔				
Olivia	✔						✔			
Simon		✔						✔		
Thierry					✔					✔

Du shopping avec maman (Page 57)

	L'enfant a acheté...				La mère a acheté...				Le casse-croûte				La boisson			
	Un vernis à ongles	Un magazine de foot	Un livre de coloriage	Une bande dessinée	Un DVD	Des baskets	Un jeu d'ordinateur	Une poupée	Une crêpe	Une glace à la fraise	Des chips	Une gaufre	Du jus	Du coca	De la limonade	De chocolat chaud
Aurélie			✔					✔	✔					✔		
Jean-Paul				✔		✔						✔				✔
Henri		✔			✔					✔			✔			
Lucille	✔						✔				✔				✔	

Le logement

Cinq maisons (Page 58)

	Violette	Verte	Rose	Jaune	Bleue	Le poisson	Le lapin	Le cochon d'inde	Le chien	Le chat	Le thé	Le jus d'orange	Le citron pressé	Le café	La bière	Le popcorn	Les chips	Les cacahuètes	Les biscuits	Les beignets
L'Allemand				✔					✔				✔						✔	
L'Anglais	✔						✔							✔			✔			
L'Écossais			✔							✔	✔									✔
L'Espagnol					✔	✔									✔			✔		
L'Italien		✔						✔				✔				✔				

La décoration (Page 59)

Le prénom	La pièce	Le thème	Les couleurs
Charlotte	La salle de bains	Les papillons	Bleu foncé et bleu clair
Louisa	Le salon	Le boisé	Vert foncé et vert clair
Helena	La chambre	Les plumes	Violet et argent
Pierre	La cuisine	Les fleurs	Noir et blanc

©Debbie Leadbetter
and Brilliant Publications Limited

Les problèmes logiques et latéraux **103**

Les maisons colorées (Page 59)

Le président des Etats Unis.

Les actualités

Un navire a coulé (Page 60)

Trente jours – À l'origine, il y avait assez de nourriture pour nourrir deux cent vingt personnes pendant vingt-et-un jours, ce qui donne un total de quatre mille six cent vingt rations. Six jours plus tard, mille trois cent vingt rations ont été mangées. Par conséquent, il reste trois mille trois cents rations pour deux cent soixante quinze personnes, qui vont durer trente jours si on donne une demi-ration par personne.

Qui a volé la tarte aux pommes ? (Page 60)

Luc a volé la tarte.

Explication : Les déclarations de Pierre : Une déclaration était un mensonge, une déclaration était vraie. Par conséquent, Luc ou Alain a volé la tarte.
Les déclarations de Daniel : Les déclarations de Pierre : Une déclaration était un mensonge, une déclaration était vraie. Par conséquent, Luc ou Pierre a volé la tarte.
Ainsi, c'était Luc qui a volé la tarte aux pommes.

Des présidents américains (Page 61)

Grover Cleveland a été élu deux fois faisant de lui le 22e et 24e président des États-Unis.

Un accident de voiture (Page 61)

La chirurgienne est sa mère.

Un crash d'avion (Page 61)

Vous n'enterrez pas les survivants.

Un voleur intelligent (Page 61)

Mourir de la vieillesse.

Qui a tué Arnaud Boudiner ? (Page 62)

Le cuisinier – Vous ne cuisinez pas le petit déjeuner l'après-midi.

Un meurtrier (Page 62)

La troisième salle – les lions qui n'ont pas mangé depuis trois ans sont morts.

Un homme a assassiné sa femme (Page 62)

Il n'a jamais demandé à la police où se trouvait la scène du meurtre.

Un enterrement (Page 63)

Elle pense que l'homme arrivera à l'enterrement de son frère.

Le dentiste est coupable (Page 63)

L'agent de police et le vétérinaire sont des femmes. Le dentiste est un homme et le nom 'Luc' est un prénom d'homme.

Un meurtre au parc (Page 63)

Comment le meurtrier peut-il tirer dans l'estomac s'il courait derrière lui ?

Un meurtre dans les montagnes (Page 64)

L'homme n'a acheté qu'un aller simple pour sa femme, alors il devait savoir qu'elle ne reviendrait pas.

Saint-Valentin

Des cartes de Saint-Valentin (Page 65)

	Ana	Charlotte	Hélène	Rachel
François	X	X	✔	X
Julien	✔	X	X	X
Phillip	X	X	X	✔
Simon	X	✔	X	X

Cinq couples (Page 66)

	Nicole	Clara	Esmé	Marie	Isabelle	Un bracelet	Des chocolats	Du parfum	Un collier	Des roses	Un restaurant espagnol	Un restaurant chinois	Un restaurant italien	Un restaurant mexicain	Un restaurant thaïlandais
Luc		✔						✔						✔	
Marc					✔					✔		✔			
Paul			✔			✔									✔
David	✔								✔				✔		
Christian				✔			✔				✔				

Pâques

Une chasse aux œufs de Pâques (Page 67)

	L'œuf bleu	L'œuf rouge	L'œuf vert	L'œuf jaune	Les chocolats	Les jujubes	La pièce d'or	Les mini-œufs	Premier	Deuxième	Troisième	Quatrième
Henri	✔							✔			✔	
Jules		✔			✔					✔		
Lola				✔		✔						✔
Marie			✔				✔		✔			

Sudoku – Pâques (Page 68)

Un œuf de Pâques	Un poussin	Une jonquille	Le printemps	Un panier	Un bonnet	Le chocolat	Un lapin	Un agneau
Le printemps	Le chocolat	Un panier	Un lapin	Un agneau	Un poussin	Une jonquille	Un bonnet	Un œuf de Pâques
Un bonnet	Un lapin	Un agneau	Un œuf de Pâques	Le chocolat	Une jonquille	Le printemps	Un panier	Un poussin
Un poussin	Un œuf de Pâques	Un lapin	Un panier	Une jonquille	Un agneau	Un bonnet	Le printemps	Le chocolat
Un agneau	Un bonnet	Le printemps	Le chocolat	Un poussin	Un lapin	Un panier	Un œuf de Pâques	Une jonquille
Un panier	Une jonquille	Le chocolat	Un bonnet	Un œuf de Pâques	Le printemps	Un poussin	Un agneau	Un lapin
Le chocolat	Un agneau	Un bonnet	Une jonquille	Le printemps	Un œuf de Pâques	Un lapin	Un poussin	Un panier
Un lapin	Un panier	Un poussin	Un agneau	Un bonnet	Le chocolat	Un œuf de Pâques	Une jonquille	Le printemps
Une jonquille	Le printemps	Un œuf de Pâques	Un poussin	Un lapin	Un panier	Un agneau	Le chocolat	Un bonnet

Des œufs en chocolat (Page 69)

	Rouge	Bleu	Vert	Violet	2	4	7	9
Sophie		✔						✔
Ana				✔	✔			
Jules	✔					✔		
Thomas			✔				✔	

Qui a trouvé un œuf en or ? (Page 70)

Le prénom	Le nom de famille	La position	L'endroit
Jules	Laurent	2ème	Sous le toboggan
Gabriel	Lefèvre	1ère	Sous un banc du parc
Léa	Roux	3ème	À côté d'un sycomore
Luna	Mercier	4ème	Sous une table de pique-nique
Théo	Martinez	5ème	Dans un buisson

Le quatorze juillet

Sudoku – Vive la Révolution ! (Page 71)

La liberté	La Bastille	La Révolution	L'égalité	La prison	Paris	Louis XVI	Le quatorze juillet	La fraternité
Paris	L'égalité	La prison	Louis XVI	Le quatorze juillet	La fraternité	La Révolution	La Bastille	La liberté
Le quatorze juillet	La fraternité	Louis XVI	La liberté	La Révolution	La Bastille	L'égalité	Paris	La prison
la Bastille	Le quatorze juillet	La fraternité	La prison	Paris	La Révolution	La liberté	L'égalité	Louis XVI
Louis XVI	La liberté	Paris	Le quatorze juillet	La fraternité	L'égalité	La Bastille	La prison	La Révolution
La prison	La Révolution	L'égalité	La Bastille	La liberté	Louis XVI	Le quatorze juillet	La fraternité	Paris
L'égalité	Paris	La Bastille	La fraternité	Louis XVI	La liberté	La prison	La Révolution	Le quatorze juillet
La fraternité	Louis XVI	Le quatorze juillet	La Révolution	La Bastille	La prison	Paris	La liberté	L'égalité
La Révolution	La prison	La liberté	Paris	L'égalité	Le quatorze juillet	La fraternité	Louis XVI	La Bastille

Au palais de Versailles (Page 72)

	Le poulet	Le dinde	L'agneau	Le bœuf	Le poisson	La mousse au chocolat	La tarte aux pommes	La tarte aux cerises	Le fromage	Les raisins	Le vin blanc	Le vin rouge	Le champagne	La bière	Le cognac
Louis XVI	✔					✔						✔			
Marie-Antoinette			✔				✔						✔		
Jacques Necker				✔					✔					✔	
Maximilien Robespierre		✔								✔					✔
Le marquis de La Fayette					✔			✔			✔				

Halloween

Le soir d'Halloween (Page 73)

	Un fantôme	Une momie	Un vampire	Le chocolat	Les pastilles	Les sucettes
Luc			✔		✔	
Alex	✔			✔		
Jean		✔				✔
Le chocolat	✔					
Les pastilles			✔			
Les sucettes		✔				

Des bonbons ou un sort (Page 74)

	Jardinier	Thomas	Dior	Dubois	Leclerc	Le fantôme	Le squelette	Le vampire	Le loup-garou	Le monstre	1ère	2ème	3ème	4ème	5ème
Stephan					✔					✔	✔				
Louis			✔					✔					✔		
Antoine		✔					✔								✔
Michel	✔					✔								✔	
Richard				✔					✔			✔			

Sudoku – Halloween (Page 75)

Un fantôme	Une momie	Un squelette	Une sorcière	Une citrouille	Un chat noir	Un monstre	Une chauve-souris	Un diable
Une sorcière	Une chauve-souris	Un monstre	Un fantôme	Un diable	Une momie	Un squelette	Un chat noir	Une citrouille
Une citrouille	Un diable	Un chat noir	Un monstre	Une chauve-souris	Un squelette	Un fantôme	Une sorcière	Une momie
Un squelette	Un chat noir	Une citrouille	Un diable	Un fantôme	Une sorcière	Une momie	Un monstre	Une chauve-souris
Un monstre	Un fantôme	Un diable	Une citrouille	Une momie	Une chauve-souris	Un chat noir	Un squelette	Une s orcière
Une chauve-souris	Une sorcière	Une momie	Un squelette	Un chat noir	Un monstre	Une citrouille	Un diable	Un fantôme
Un diable	Un monstre	Une chauve-souris	Une momie	Un squelette	Un fantôme	Une sorcière	Une citrouille	Un chat noir
Un chat noir	Un squelette	Un fantôme	Une chauve-souris	Une sorcière	Une citrouille	Un diable	Une momie	Un monstre
Une momie	Une citrouille	Une sorcière	Un chat noir	Un monstre	Un diable	Une chauve-souris	Un fantôme	Un squelette

La famille Fantôme (Page 76-77)

Les filles	cinq	quatre	trois	deux	un	Ghoulville	Enferville	Citrouilleville	Cimetièreville	Cercueilville	Squelette	Fantôme	Monstre	Os	Effrayant	Kevin	Joseph	Felipe	Déon	Alfred
Félicie	✔					✔						✔							✔	
Freyja		✔							✔						✔					✔
Fiona			✔					✔						✔			✔			
Francesca				✔						✔			✔					✔		
Frida					✔		✔				✔					✔				

Noël

Les rennes (Page 78)

1. Furie
2. Cupidon
3. Rudolph
4. Tornade
5. Fringant
6. Comète
7. Éclair
8. Tonnerre
9. Danseur

Qui recevra quel cadeau ? (Page 78)

	Les chaussettes	La cravate	Le pull
Fabien	✔		
Patrice			✔
Vincent		✔	

Un ange	Un bonhomme de neige	Un renne	Les Rois Mages	Un bonhomme en pain d'épice	Un lutin	Le Père Noël	Une fée	Le bébé Jésus
Une fée	Les Rois Mages	Un bonhomme en pain d'épice	Le Père Noël	Le bébé Jésus	Un bonhomme de neige	Un lutin	Un ange	Un renne
Le Père Noël	Un lutin	Le bébé Jésus	Un ange	Une fée	Un renne	Les Rois Mages	Un homme en pain d'épice	Un bonhomme de neige
Un lutin	Le bébé Jésus	Un ange	Un renne	Un bonhomme de neige	Les Rois Mages	Une fée	Le Père Noël	Un bonhomme en pain d'épice
Les Rois Mages	Le Père Noël	Une fée	Le bébé Jésus	Un ange	Un bonhomme en pain d'épice	Un bonhomme de neige	Un renne	Un lutin
Un bonhomme en pain d'épice	Un renne	Un bonhomme de neige	Un lutin	Le Père Noël	Une fée	Un ange	Le bébé Jésus	Les Rois Mages
Un bonhomme de neige	Une fée	Les trois rois	Un bonhomme en pain d'épice	Un renne	Un ange	Le bébé Jésus	Un lutin	Le Père Noël
Un renne	Un ange	Le Père Noël	Un bonhomme de neige	Un lutin	Le bébé Jésus	Un homme en pain d'épice	Les Rois Mages	Une fée
Le bébé Jésus	Un bonhomme en pain d'épice	Un lutin	Une fée	Les Rois Mages	Le Père Noël	Un renne	Un bonhomme en neige	Un ange

Un concert de chants de Noël (Page 80)

	Bonnet	Chevalier	Eusses	Denis	Alto	Basse	Soprano	Ténor	Cantique de Noël	Douce Nuit	Joie pour le monde	Minuit Chrétien
Belle		✔			✔					✔		
Benoit				✔		✔					✔	
Silvana	✔						✔					✔
Théron			✔					✔	✔			

Cinq traîneaux (Page 81)

	Rouge	Jaune	Vert	Bleu	Violet	Angleterre	France	Allemagne	Grèce	Espagne
Rudolph	✔									✔
Danseur		✔						✔		
Comète					✔		✔			
Fringant				✔					✔	
Furie			✔			✔				